Traité hindou de l'amour physique

LES ÉDITIONS LE NORDAIS (livres) LTÉE
Une filiale de: Les Placements Le Nordais Ltée
100, ave Dresden
Ville Mont-Royal, Qué. H3P 2B6
Tél.: (514) 735-6361

Dépôts légaux, deuxième trimestre 1982:
Bibliothèque nationale du Québec et
Bibliothèque nationale du Canada

ISBN 2-89222-037-8

Traité hindou de l'amour physique

Ananga-Ranga

AU ROYAUME DU PLAISIR LÉGITIME.

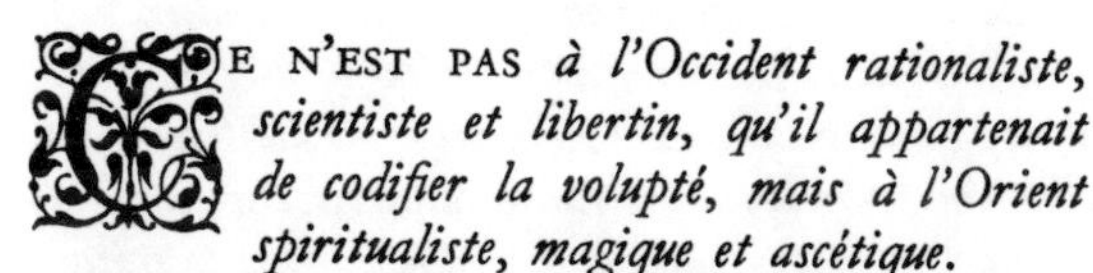

Ce n'est pas *à l'Occident rationaliste, scientiste et libertin, qu'il appartenait de codifier la volupté, mais à l'Orient spiritualiste, magique et ascétique.*

Quand Ovide rédige son Art d'aimer, *il le fait en amant et en poète, non en professeur. Il veut dominer les embarras et les méfaits d'Éros, prendre sur lui une revanche :* Et mihi cedet amor, quamvis mea vulneret arcu pectora...

Nicolas Chorier, quelques siècles plus tard, joue avec talent les pédagogues de l'amour, mais sa Luisa Sigéa *demeure bien littéraire, et il garde un œil sur les auteurs antiques et italiens. C'est encore de la littérature que feront, au* XVIIIe *siècle, les Libertins...*

L'art d'aimer, en Occident, relève d'abord de l'art : de la personne même de l'écrivain, de son expérience ou de ses phantasmes.

A l'œuvre érotique se mêle aussi le scandale. Chez nous, l'amour s'identifie à la liberté, la littérature érotique au pamphlet. Éros ne cesse pas d'être dans l'opposition. D'où ces œuvres qui militent en faveur de l'amour, plutôt que d'en faire un chapitre de la vie humaine offert à l'étude, à la réflexion et à l'enseignement.

Le christianisme est responsable de cette difficulté que nous avons à considérer l'amour objectivement, *c'est-à-dire à l'égal d'un fait naturel et d'une pratique qui a — nonobstant ses caprices — des lois. Il en fait un péché mortel. Il condamne la volupté pour la volupté. « Amabam amare », s'écrie saint Augustin, pour stigmatiser sa jeunesse dissolue.*

Quant au mariage, on y voit un pis-aller. « Il vaut mieux se marier que de brûler », dit, en soupirant, saint Paul aux Corinthiens. Fût-il conjugal, l'amour physique est une faiblesse, qu'on doit payer par la procréation. Le plaisir n'est toléré que s'il débouche sur le souci. Et l'on proclame avec morosité son fameux « goût de cendres » !

*Un art d'aimer est inconcevable au sein de la société chrétienne, ou c'est l'*Imitation de Jésus-Christ. *Dieu, malgré l'Incarnation, a sa demeure hors de la chair.*

Dès lors l'écrit érotique, si impudique soit-il, garde quelque chose de honteux : j'entends qu'il veut se justifier. La plupart de ces écrits pour-

raient avoir pour préface celle que Racine *a mise à* Phèdre : « ... *je n'ose encore assurer que cette pièce soit en effet la meilleure de mes tragédies... Ce que je puis assurer... c'est que les faiblesses de l'amour y passent pour de vraies faiblesses ; les passions n'y sont présentées aux yeux que pour montrer tout le désordre dont elles sont cause ; et le vice y est peint partout avec des couleurs qui en font connaître et haïr la difformité.* » Le *marquis de Sade ne dit pas autre chose dans sa dédicace de* Justine ou les Malheurs de la vertu.

Effet de la mauvaise conscience ou précaution oratoire, de tels propos mettent en évidence qu'on a bien du mal, en Occident, à traiter de la volupté, en oubliant qu'elle est maudite.

L'auteur érotique ou bien se libère des désirs qui l'accablent — et il se livre à une confession scabreuse ; ou bien s'en prend à l'ordre social, moral et religieux — et il fait œuvre de polémiste. Notre civilisation, le plus souvent, ne comporte d'érotisme que « voilé » ; à moins que l'exacerbation d'une nature par trop contrariée ne conduise à de fastidieuses surenchères.

L'Occident n'est pas, pour autant, sans posséder une grande littérature amoureuse. Le christianisme n'a pas empêché des œuvres où l'esthétique et la philosophie de la volupté sont génialement traitées. Mais d'une autre façon qu'en toute sérénité pédagogique.

L'idée qu'on puisse écrire un « traité de l'amour », faire de la sexualité une matière d'enseignement pratique, ne laisse pas d'être choquante pour les esprits les plus libres. Pour eux, l'amour est par définition chose privée, l'érotisme une donnée immédiate de la chair : ils ne conçoivent pas d'y recevoir de leçons. L'expérience personnelle peut y être de quelque profit, celle d'autrui nullement. La volupté ne connaît pas de lois. Vérité et erreur varient au gré de la personne. Et la personne aimée est chaque fois nouvelle et différente — unique.

Il est d'ailleurs remarquable que l'esprit qui anime la quasi totalité des traités dits d'« éducation sexuelle » ne soit pas un esprit de liberté. C'est au sein des nations puritaines qu'ils florissent. Ils relèvent d'une espèce de religion sociale : ils veulent faire de « bons amants », comme on veut faire de « bons citoyens ». Ils ont le souci d'établir et d'inculquer une norme sexuelle, fonction de force interdictions morales qui se glissent dans ces ouvrages à prétention libérale.

*De quel intérêt peut donc être pour nous un livre comme l'*Ananga Ranga ?

L'auteur de ce traité a soin de se réclamer d'une double autorité : celle de Kamadeva, fils de Brahma, comme Éros est fils d'Aphrodite, c'est-à-dire un dieu, et celle d'« hommes prudents et pieux », auxquels notre auteur a emprunté « l'essence de leur sagesse ». C'est se placer à la fois sous le signe de la religion et du plaisir, de l'esprit et de la chair, de la vertu et de la passion, toutes choses qu'il est d'usage, en Occident, de tenir séparées.

*Il faut noter aussi que l'*Ananga Ranga *s'adresse aux époux. C'est dans les limites de la vie conjugale que son enseignement doit être reçu et appliqué. Voilà qui marque une autre différence avec notre érotisme. Celui-ci fait peu cas des couples légitimes, ou bien il en célèbre les trahisons mutuelles.*

Il apparaît même qu'érotisme et conjugalité soient, à nos yeux, ennemis. Notre érotisme est, le plus souvent, adultérin. Peut-être est-ce un effet de la conception paulinienne du mariage. Saint Paul, intronisant comme à regret la sexualité dans le mariage, continue de lui faire tenir un rôle honteux au sein du sacrement. N'y étant pas pleinement absoute, elle y sera réduite à la portion congrue, sous peine d'ajouter aux péchés inhérents à la fantaisie érotique la faute du sacrilège. L'adultère ne cesse pas d'être un sacrilège, mais du moins préserve-t-il le caractère sacré de l'Épouse, laquelle se confond avec la Mère. N'y a-t-il pas de « bons époux » préférant fréquenter les filles publiques, plutôt que de profaner leur épouse par de coupables pratiques ?...

Hors de tels paradoxes, il est certain, serait-ce pour la plus banale raison, telle que l'affaiblissement du désir réciproque dans l'existence commune, qu'érotisme et mariage vont rarement de pair dans notre littérature comme dans la vie réelle.

C'est d'ailleurs le souci de Kalyana Malla de prolonger par son enseignement la durée du plaisir amoureux dans la vie conjugale. L'érotisme vient ici au secours de la morale. Mais cela n'est possible que dans un univers religieux comme celui de l'Hindouisme, où, bien que jugé inférieur au plaisir de la connaissance du divin, celui de l'amour humain ne souffre, en son principe, d'aucune condamnation théologique.

Une autre constatation s'impose, en abordant l'Ananga Ranga : que la volupté n'est pas le fait d'un instinct purement et simplement assouvi, ni subordonnée à une téléologie de l'enfantement. Il est licite de rechercher la volupté pour elle-même, cela par les moyens les plus complexes ou détournés. Ainsi ressortit-elle moins aux feux de la passion qu'à une certaine lucidité, à l'abandon qu'à la volonté, à la jouissance impulsive qu'à la technique de cette jouissance.

D'où une sorte de froideur, qui règne dans ces pages, climat ordinaire des manuels, mais que le sujet de celui-ci accuse. Une telle impression est surtout donnée par le caractère méthodique des chapitres, leurs énumérations détaillées, leurs multiples distinguo, leurs descriptions pointilleuses ; le fond de l'ouvrage, lui, est plein de sensualité. Il n'empêche qu'une telle méthode est ici appliquée à une matière qui pour nous n'en souffre point, et prête surtout aux ardents désordres de l'imagination.

Nous n'ignorons pas, de ce côté du monde, les « raffinements » de la volupté, mais nous y voyons des gestes et des actes inspirés plutôt que préconçus : ils participent de notre invention ; ils naissent de l'occasion présente. Quel amant, rejoignant celle qu'il aime, récapitulerait en chemin *chacune des caresses qu'il va lui prodiguer, comme un élève ses leçons ?*

De même on pourra s'étonner à la lecture des chapitres consacrés à la typologie physique et morale des hommes et des femmes dans leur nature amoureuse — nous rougirions de classifier nos compagnes comme Buffon les mammifères — ou des chapitres dans lesquels la pharmacopée voisine avec le rituel magique ; ce sont là des pratiques qui rencontrent notre entier scepticisme, sinon les réticences de notre orgueil, car nous préférons séduire par nos talents, non par le biais des aphrodisiaques !

*Quant aux pages portant sur l'*érotographie, *voire sur l'*érotométrie *des organes génitaux ou du congrès sexuel, elles nous trouvent partagés entre deux sentiments : celui, admiratif, pour un sens aussi poussé de l'exactitude, ou celui, amusé, pour une telle manifestation d'esprit byzantin, quand ce n'est plus des anges qu'il s'agit !*

❦

*Si différent de nos coutumes intellectuelles et amoureuses, si surprenant qu'il soit parfois, l'*Ananga Ranga *est pourtant destiné à nous plaire.*

Il faut d'abord saluer le ton, la dignité, la sérénité de l'ouvrage, qui est exempt de toute vulgarité, de toute arrière-pensée, de toute obscénité.

L'esprit le plus libre n'est pas sans réprouver parfois des textes ou des spectacles qui se parent d'érotisme. Ce n'est pas qu'un sournois puritanisme soit demeuré en lui : c'est que l'amour physique, à ses yeux respectable et beau, lui apparaît alors plus caricaturé, sinon contrarié, que dépeint. Nous *faisons une distinction entre érotisme et pornographie — non pas au nom de la morale, mais peut-être de la vérité.*

Le sentiment de la pornographie s'accompagne, en effet, d'une curieuse suspicion à l'égard de l'objet qui l'inspire. Il semble que, sous couvert de liberté et de franchise, l'oppression morale et l'hypocrisie sociale continuent de s'exprimer. Traiter avec tels procédés répulsifs le tableau de la volupté, c'est attenter à la volupté elle-même. L'œuvre pornographique seule devrait se prévaloir de ce que Racine *dit de* Phèdre : *que « le vice y est peint partout avec des couleurs qui en font connaître et haïr la difformité ».*

*Il n'est aucune pornographie dans l'*Ananga Ranga, *pour la simple raison que la volupté n'y fait l'objet d'aucun frein : étant elle-même* tabou, *elle n'est victime d'aucun* tabou.

Le lecteur entre ici au royaume du Plaisir légitime. Il n'a pas à y coudoyer de ces démons ou de ces fantômes, qui hantent, en Occident, la demeure de l'amour. Certes, ce royaume est gouverné, il a ses lois et ses coutumes, le plaisir y est soumis à des règles, peut-être à des conventions — mais nous ne sommes pas tenus d'y sacrifier...

J'irai jusqu'à dire qu'on éprouve à la lecture de ces pages un sentiment de purification. L'esprit de volupté n'y est plus de scandale, de révolte, d'agressivité. L'amour ne porte aucun des masques que d'ordinaire nous lui mettons sur le visage :

il semble qu'on le voie à l'état pur. Qu'importe que ce livre ait été écrit par un Hindou pour des Hindous, il y a plusieurs siècles, et que, par bien des côtés, il nous échappe. Nous oublions bientôt ce qui nous en sépare, pour découvrir ce qui nous y relie, et qui peut-être est l'essence de l'amour charnel.

Cette chair, que nous opposons à l'esprit, est encore pour nous une abstraction. Nous en faisons plus couramment une entité qu'une réalité concrète. Dans son acception théologique, le mot a un sens très général, plus moral que physique ; quand nous le prononçons, nous ne voyons qu'une trouble image. Ce que nous appelons l'amour « physique » l'est bien peu. La plupart de nos écrivains érotiques nous parlent moins des corps que des âmes. C'est l'audace d'une situation qu'ils nous décrivent, plus volontiers que les êtres qui y participent. Ils font rarement preuve de réalisme — ou bien il faut entendre par ce mot je ne sais quelle outrance de langage. Nous demeurons des tartufes au sein de notre immoralisme.

Est-il inévitable que le corps humain ne puisse être traduit que d'une manière suggestive, à travers le prisme du désir, ou d'une manière anatomique, tel Vinci faisant la coupe de l'acte sexuel ? L'érotisme doit-il continuer à nous priver ainsi de la chair ?

*Dans l'*Ananga Ranga*, le corps humain, le concret de cette chair, la Physique de l'amour nous sont restitués — réhabilités. Ils s'incarnent vrai-*

ment, sortent de l'imprécision où les interdits occidentaux semblent toujours les tenir, à moins qu'ils ne se défigurent au gré des hallucinations. La froideur avec laquelle cette chair est, ici, expliquée dans ses formes et sa substance propres aboutit à nous faire découvrir la chair.

Il y a une commune nature entre ces textes et les admirables fresques érotiques de Konarak. Ce ne sont plus des monstres gothiques que nous voyons s'accoupler, mais des dieux et des déesses, des êtres innocents et beaux. Leur dessin ne se charge pas d'ombres où l'esprit s'enlise en de pernicieuses rêveries. Les mots exposent l'amour et ses attributs en pleine lumière et dans toute leur réalité. Ce n'est plus l'âme damnée du vice qui nous apparaît, mais le corps glorieux de la sensualité. Les gestes, les poses, les attitudes des amants ne sont pas là pour provoquer la morale ou suggérer l'enfer, mais décrire simplement les voies du plaisir.

*Ainsi, l'*Ananga Ranga *n'est sans doute pas à lire, en ce qui nous concerne, comme un manuel. Nous restons réticents à une telle pédagogie. Pour notre bien et pour notre mal, nous continuons de confondre amour et liberté, même quand l'amour nous met en esclavage. Mais, hors de ce qu'il veut apprendre, l'*Ananga Ranga *nous apprend autre chose. Que l'amour est amoureux, que la chair est charnelle, que notre corps est corporel. Jusqu'à un certain point, sans doute, mais du moins la lecture de ce livre nous fait atteindre ce point.*

Un tel ouvrage, enfin, libère la beauté de ce « rêve de pierre » où Baudelaire l'enferma. Une beauté humaine, qui ne se perd plus dans les glaces du spirituel. Les mots qui la célèbrent sont précis, matériels, explicites : ce n'est plus un discours sans cesse transcendant, où la beauté est travestie par le Ciel ou l'Enfer.

Un chef-d'œuvre de réalisme, donc, qui n'est pas fait pour déprécier la vie, mais au contraire la porter à sa plus haute expression.

Jacques CHARPIER.

AVANT-PROPOS

DU TRADUCTEUR

LE NOUVEAU Traité d'Érotologie hindoue que nous offrons aujourd'hui aux lecteurs français, après les *Kama Sutra* de Vatsyayana, édités aussi par nous précédemment, ne fait pas double emploi avec l'œuvre du vieux Brahmane. Composé au XVIe, ou peut-être au XVe siècle de notre ère, par conséquent beaucoup plus moderne, puisque les *Kama Sutra* remontent au Ve siècle, l'*Ananga-Ranga* de Kalyana Malla nous donne des mœurs et de la civilisation des Hindous une idée plus satisfaisante. Tout ce qui nous effrayait dans le livre sacré de Vatsyayana, cet ensemble de caresses sauvages dont quelques-unes semblent empruntées aux tigres, unguiculation, morsication, coups brutaux avec le poing ou même avec des instruments de fer, tout cela n'existe plus chez Kalyana Malla, du moins avec sa rudesse primitive; on ne s'y égratigne plus, on ne s'y mord plus, on ne s'y frappe plus que gentiment et avec due précaution : le progrès humain est ici manifeste, et le Christianisme n'y est pour rien.

Ce caractère distinctif de l'*Ananga-Ranga* est loin d'être le seul; mais nous aurions mauvaise grâce à répéter ce qu'on trouvera ci-après, dans la Préface et les nombreuses notes des savants voyageurs anglais à qui nous devons la connaissance de ce livre.

Nous ajouterons seulement que l'un de ces voyageurs, Mr A***, est le même qui a traduit en anglais les *Kama Sutra;* l'autre, Mr B***, est l'auteur d'une traduction complète des *Mille et une Nuits,* actuellement en cours de publication, et où il a consigné, sous forme de commentaires, une foule de renseignements précieux sur les usages et les mœurs de l'Orient.

Pisanus Fraxi, dans son *Index Librorum prohibitorum,* nous apprend que la traduction anglaise de l'*Ananga-Ranga* avait déjà dû être imprimée à Londres il y a quelques années, mais que l'imprimeur ayant refusé ses presses au dernier moment, il en existait seulement quatre exemplaires d'épreuves. Quoique, par ce motif, l'édition de *Cosmopoli,* 1885, s'intitule une « réimpression », elle n'en est pas moins, en réalité, l'édition originale, des feuillets d'épreuves pouvant difficilement passer pour un livre.

Nous adressons nos plus sincères remerciements aux personnes qui nous ont fait connaître l'*Ananga-Ranga,* et nous souhaitons à cet ouvrage le succès de ses devanciers : le *Manuel d'Érotologie classique* de Forberg, les *Kama Sutra* de Vatsyayana et le *Jardin parfumé* du cheikh Nefzaoui.

I. L.

Paris, août 1886.

PRÉFACE
DE L'ÉDITION ANGLAISE

L'OUVRAGE qu'on va lire est un *Art d'aimer* hindou, que nous pouvons, à bon droit, déclarer unique. Depuis Sotadès et Ovide jusqu'à nos jours, les écrivains occidentaux ont traité le sujet, tantôt d'une façon plaisante, tantôt avec une tendance à glorifier les joies de l'immoralité, à préconiser la débauche. Tout autre est le point de vue où s'est placé l'auteur indien, et il est impossible de ne pas admirer sa délicatesse dans le maniement d'un thème si délicat. Ainsi qu'il en assure ses lecteurs dès le début, son livre, qui s'ouvre par les louanges des dieux, n'a aucunement pour objet d'exciter à la luxure et au libertinage, mais simplement et en toute sincérité de prévenir la séparation de l'époux et de l'épouse. Convaincu que la monogamie est un état plus heureux que la polygamie, il veut préserver les deux époux de la monotonie et de la satiété qui suivent la possession, en variant leurs plaisirs de toutes manières imaginables, et en leur fournissant les moyens de rester moralement purs et physiquement agréables l'un à l'autre. Il reconnaît, aussi pleinement que Balzac, les maux sans nombre qui résultent de l'infidélité conjugale; et s'il autorise l'adultère lorsqu'il s'agit de sauver sa vie, il ne fait rien qui n'ait été permis chez les peuples païens les plus civilisés, où pareille doctrine avait cours : témoin la libéralité de Socrate prêtant sa femme à un ami, et la générosité de Séleucus, rapportée en note ci-après (page 126).

Ce n'est certes pas un mince mérite pour un auteur d'avoir pu écrire tant de choses nouvelles et intéressantes sur le congrès des deux sexes, un sujet maintes fois rebattu depuis les âges les plus reculés, qu'on pourrait croire depuis longtemps épuisé, et que personne pourtant n'a traité comme il est traité ici. L'originalité, il est vrai, s'y trouve partout mêlée d'une certaine recherche, due au langage et au tour d'esprit particulier des Hindous : mais ce n'en est pas moins de l'originalité. Rien ne saurait mieux caractériser l'Indien que cette littérature amoureuse si travaillée, si mécanique; où les baisers sont divisés en tant de sortes; où il y a des règles pour taper avec la paume et avec le dos de la main, et des prescriptions pour les diverses manières d'émettre le souffle. Considéré sous cet aspect, le livre est un véritable trésor ethnologique, aussi précieux pour l'étude de l'humanité dans l'Inde que les *Mille et une Nuits* pour celle des mœurs et coutumes des Arabes au XVe siècle.

Ce traité, comme l'auteur lui-même nous l'apprend, a été composé par l'archi-poète Kalyana Malla, dont malheureusement nous savons peu de chose. D'après une biographie des poètes, le *Kavi-Charika,* il était natif de Kalinga, Brahmane de caste, et florissait sous le règne d'Anangabhima, autrement Ladadiva, roi de ce pays. Une inscription, dans le sanctuaire de Jagannath, atteste que le Rajah Ladadiva construisit un temple dans le Shaka, ou année de Shalivana, 1094 = 1172 après Jésus-Christ.

Mais, d'un autre côté, tous les manuscrits de l'*Ananga-Ranga* ont un verset constatant que l'auteur, Kalyana Malla, écrivit son livre pour l'instruction de Lada Khan, fils d'Ahmad, de la Maison de Lodi. Cela ferait supposer que le protecteur du poète était Ahmad Khan, *subahdar* ou vice-roi de *Gujarat* (Guzerate), à qui, dans un accès de flatterie et d'exagération orientale, il décerne le titre de roi.

Ce fonctionnaire appartenait à la dynastie Lodi ou Pathan, qui, suivant Elphinstone, investit de hauts emplois un grand nombre de ses alliés. Trois rois Lodi (Bahlul, Sikandar et Ibrahim, qui régnèrent entre 1450 et 1526 de notre ère), précédèrent immédiatement la maison de Taymur dans la personne de Baber Shah.

L'*Ananga-Ranga* n'est pas écrit dans le style classique : c'est un produit de la littérature sanscrite relativement moderne. On y trouve l'analyse et, en quelque sorte, le résumé d'ouvrages beaucoup plus anciens, tels que les *Kama Sutra* de Vatsyayana (voy. Chap. VI), le *Ratirahasya,* le *Panchasayaka,* le *Smarapradipa,* le *Ratimanjari,* et, pour n'en citer qu'un de plus, le *Manasolasa* ou *Abhilashitachintamani* (Description des Plaisirs du Roi, *le Roi s'amuse*).

De son texte original sanscrit, le traité de Kalyana Malla a été traduit dans toutes les langues de l'Orient qui possèdent une littérature, si humble soit-elle. Dans le sanscrit et le pracrit (Marathi, Gujarati, Bengali, etc.), on l'appelle *Ananga-Ranga,* Stage ou Forme de l'Incorporel, Kama Deva (Kamadeva), le Cupidon hindou, qui fut réduit en cendres par l'œil ardent de Siva et aussitôt rappelé à la vie. Voici la légende, telle qu'elle est consignée dans l'*Hindu Pantheon* de Moore :

Mahadeva, c'est-à-dire Siva, et Parvati sa femme, jouant aux dés à la fête de Chaturanga, eurent une querelle et se séparèrent en courroux; puis, accomplissant chacun de leur côté de rigides actes de dévotion à l'Être Suprême, ils allumèrent des feux si violents, que l'univers fut menacé d'une conflagration générale. Les Devas, en grande alarme, s'empressèrent d'aller trouver Brahma, qui les conduisit à Mahadeva, et ils supplièrent celui-ci de rappeler son épouse; mais le dieu, irrité, répondit qu'il fallait qu'elle revînt à lui de son propre mouvement. En conséquence ils députèrent Ganga, la déesse-rivière, qui décida Parvati à retourner vers son époux, en lui promettant qu'il lui rendrait son amour. Les médiateurs célestes employèrent alors Kamadeva, lequel blessa Siva d'une de ses flèches ornées de fleurs; mais le terrible Siva réduisit en cendres le dieu d'Amour. Parvati, bientôt après, s'étant présentée devant Siva sous la forme d'une Kerati, ou fille d'un montagnard, et le voyant amoureux d'elle, reprit sa propre figure, et les époux se réconcilièrent. Siva, apaisé, consola la dolente Rati, veuve de Kama, en l'assurant qu'elle rejoindrait son époux lorsqu'elle serait née de nouveau sous la forme de Pradyamna, fils de Krichna, et qu'elle aurait mis à mort Sambara Asura. Cette favorable prédiction se réalisa. Pradyamna fut saisi par le démon Sambara, qui le mit dans un coffre et le jeta à la mer. Le coffre fut avalé par un gros poisson, lequel fut pris et apporté au palais du géant, où l'infortunée Rati avait été forcée de faire un service manuel : chargée d'ouvrir le poisson, elle y trouva le coffre avec l'enfant, qu'elle nourrit en secret et éleva jusqu'à ce qu'il fût assez fort pour détruire le méchant Sambara. Il avait jusqu'alors considéré Rati comme sa mère; mais leurs esprits étant maintenant irradiés, Rati se souvint de la prophétique promesse de Mahadeva, et le dieu d'Amour fut de nouveau uni à la déesse du Plaisir.

Dans les dialectes arabique, hindoustani et musulman, l'*Ananga-Ranga* devient *Lizzat al-Nisa,* ou les Plaisirs des Femmes, et le même titre reparaît, légèrement modifié, en persan et en turc. On le connaît généralement dans l'Inde sous la dénomination de *Kama Shastra,* l'Écriture de Kama, ou de *Lila Shas-*

tra, l'Écriture du Jeu ou Sport d'amour, τὸ παίζειν. Le vulgaire l'appelle *Koka-Pandit,* du nom de l'auteur supposé, au sujet de qui on raconte l'histoire suivante : Une femme, brûlant d'amour et ne trouvant personne pour satisfaire ses violents désirs, jeta ses vêtements et jura qu'elle parcourrait le monde toute nue, jusqu'à ce qu'elle eût trouvé son champion. Elle vint en cet état dans la salle d'honneur du Rajah auquel Koka-Pandit était attaché; et, comme on lui demandait si elle n'avait pas honte d'elle-même, elle regarda insolemment la foule des courtisans qui l'entourait et déclara d'un air dédaigneux qu'il n'y avait pas un seul homme dans la salle. Le Roi et sa cour restaient confus; mais le Sage, joignant les mains, lui demanda humblement la permission de mater cette orgueilleuse. Il la conduisit alors chez lui et l'opéra d'une façon si persuasive, qu'anéantie de fatigue, épuisée par des orgasmes répétés, elle en vint à crier grâce. Là-dessus le viril Pandit lui enfonça des épingles d'or dans les bras et dans les jambes, et, l'ayant amenée devant son Rajah, lui fit confesser sa défaite et l'obligea de se voiler solennellement en sa présence. Le Rajah, comme on doit s'y attendre, était impatient de savoir par quels moyens Koka-Pandit avait pu gagner la victoire; il lui ordonna donc de relater le fait, et d'ajouter à son récit tout ce qu'il savait d'intéressant en matière de coït. Dans l'imagerie populaire, on voit le Sage assis et faisant sa lecture devant le Rajah, qui, dûment installé sur le trône que domine le *Chatri,* ou baldaquin royal, et entouré des femmes de son harem occupées à l'éventer, prête une oreille attentive aux paroles de la sagesse.

De nos jours, l'*Ananga-Ranga* jouit d'une célébrité bien méritée. C'est par centaines de mille qu'on en compte les exemplaires lithographiés; il est dans toutes les mains, de tout sexe et de tout âge, en Orient, et peut-être est-il connu en Chine même et au Japon. Partout il est entré dans la vie nationale, et les *Fables de Pilpay,* pour désigner par un terme neutre un livre dont les dénominations sont innombrables, ne sont assurément pas plus répandues.

Les *Kama Sutra* de Vatsyayana et l'*Ananga-Ranga* doivent être regardés comme deux importants et précieux documents de Science sociale; ils sont pleins d'enseignements, d'imprévu et de nouveauté. Les étudiants orientaux leur appliquent souvent les vers bien connus de Hafiz :

> Oh! doux chanteur, dis-nous la chanson
> Toujours fraîche et toujours gaie;
> Une fois encore dis-nous l'histoire
> Toujours vieille, mais toujours neuve!

Notre intention était d'abord, après avoir traduit l'*Ananga-Ranga* de sanscrit en anglais, de le retraduire en latin, pour éviter qu'il ne tombât aux mains du vulgaire. Mais, en y regardant de plus près, nous avons acquis la conviction qu'il ne renferme rien d'essentiellement immoral, mais beaucoup de choses méritant d'être mieux connues et mieux étudiées qu'elles ne le sont à présent. La génération qui imprime et lit les traductions littérales anglaises du débauché Pétrone ou des spirituelles gravelures de Rabelais serait assez mal venue à se voiler la face devant le pieux et hautement moral Kalyana Malla. A tout le moins, c'est ce que pensent

LES TRADUCTEURS.

P.-S. — Dans l'*Index Librorum prohibitorum* (de Pisanus Fraxi), notre traduction est citée sous le nom générique de *Kama Shastra,* que nous avions adopté d'abord, et l'on fait savoir au lecteur qu'il en a été tiré seulement quatre exemplaires, pour certains motifs particuliers à l'imprimeur. Ceci est parfaitement exact, et l'exiguïté de ce tirage a jusqu'ici privé le public du bénéfice de notre travail. Nous profitons aujourd'hui d'une offre qui nous a été faite par une maison bien connue de *Cosmopoli,* et nous réimprimons le volume *pour circulation privée seulement,* après l'avoir dûment corrigé et augmenté.

A. F. F. ET B. F. W.

ANANGA-RANGA

INTRODUCTION

PUISSIEZ-VOUS être purifiés par Parvati[1], qui a coloré les ongles de ses mains, blancs alors comme les eaux du Gange, avec de la laque, après avoir vu le feu sur le front de Shambou; qui a peint ses yeux avec du collyre, après avoir vu les teintes sombres du cou de Shambou, et dont tout le poil s'est hérissé de désir,

1. La déesse-montagne appelée de divers noms, femme de Siva, troisième personne de la Trinité Hindoue, qui est ici nommé Shambou, pour Swayambou, l'Être par lui-même. Cette invocation est abrupte et ne commence pas par le commencement, Ganesha (Janus), Seigneur des Incepts, qui, invariablement, est invoqué par l'Hindou afin qu'il aide l'entreprise. Ce dieu est adoré sous la forme d'un

après avoir vu dans un miroir les cendres sur le corps de Shambou!

Je t'invoque, toi, ô Kamadeva! toi l'enjoué, toi le folâtre, qui fais ton séjour dans le cœur de tout être créé!

Tu inspires du courage en temps de guerre; tu anéantis Sambar'Asura et les Rakshasas; tu donnes satisfaction à Rati[1], et tu pourvois

---

homme trapu et fort, avec une trompe d'éléphant et un ventre proéminent. (Voyez, tome III, page 38, *A View of the History, Literature and Mythology of the Hindus*, par William Ward, de Serampour; Londres, 1832.) Les amours de Krishna et des seize mille laitières sont relatées dans le *Bhagavata* : cette onzième incarnation de Vishnou est un homme bleu foncé, jouant des deux mains sur la flûte, tandis que Rahda, sa femme, est debout à son côté gauche. Kamadeva, ou le Cupidon hindou, fils de Brahma, est représenté comme un bel adolescent, le plus aimable de tous les dieux, tenant un arc et des flèches dont la pointe est garnie de fleurs; avec ces flèches, tout en se promenant par les bosquets parfumés en compagnie de Rati, son épouse, il blesse les cœurs des habitants du Triloka ou des Trois Mondes. D'après sir William Jones, il paraît correspondre au Grec Éros et au Romain Cupidon; mais la description de sa personne et de ses armes, de sa famille, de ses serviteurs et de ses attributs offre des beautés nouvelles et particulières. Sambar'Asura était un des Rakshasas, personnages gigantesques et diaboliques, que mit à mort Kama.

1. Le Sakti, ou principe femelle, représentant l'aptitude de conception et de reproduction, devient les femmes des dieux dans la mythologie hindoue. Ainsi, dans le Shaivya-Purana, Siva dit : « De l'esprit suprême procèdent Parusha (le principe génératif ou mâle), Prakriti (le principe productif ou femelle), et c'est par eux qu'a été produit l'univers, la manifestation du dieu un. » Pour cette origine, il nous faut revenir au système chaldéo-babylonien.

aux amours et aux plaisirs du monde! Tu es toujours souriant, tu chasses le chagrin et la fatigue, et tu donnes confort et bonheur à l'esprit de l'homme!

Le roi Ahmad était l'ornement de la Maison de Lodi. Il était une mer, ayant pour eaux les pleurs répandus par les veuves de ses ennemis massacrés; il a obtenu un juste renom et une gloire sans limite. Puisse son fils Lada Khan, versé dans les Kama Shastra ou Écritures d'Amour, et dont le pied se frotte aux diadèmes des autres rois, être toujours victorieux!

Le grand vénérable sage et archi-poète Kalyana Malla, expert dans tous les arts, après avoir consulté beaucoup d'hommes prudents et pieux et avoir extrait l'essence de leur sagesse, a composé, en vue de plaire à son souverain, un ouvrage qu'il intitule ANANGA-RANGA [1]. Puisse-t-il être toujours apprécié du lecteur intelligent, car il est dédié à qui désire étudier l'art et les mystères du plus grand plaisir de l'homme, et à ceux même qui possèdent le mieux la science et la pratique de l'amour et de la volupté!

---

1. Ce titre a été expliqué. Voy. aussi Ward, III, 119. Kama est fils de Maya (= Illusion, pouvoirs attractifs de Matter, Maia, mère de Mercure); il a épousé Rati (Affection; dans notre langue vulgaire, *rut*), et il est l'ami de cœur de Vasanta, Basant ou Printemps.

A la vérité, aucune joie, en ce monde des mortels, ne saurait se comparer à celle que procure la connaissance du Créateur. Mais immédiatement après et ne cédant qu'à celle-ci, vient la satisfaction et le plaisir résultant de la possession d'une belle femme. Les hommes, cela est évident, se marient pour jouir du congrès, aussi bien que par amour et désir du bien-être, et souvent ils obtiennent des épouses belles et attrayantes. Malheureusement, ils ne leur donnent pas entier contentement et ne jouissent pas eux-mêmes complètement de leurs charmes. Cela vient de ce qu'ils ignorent les Kama Shastra, c'est-à-dire l'Écriture de Cupidon, et que, sans souci des différences entre les espèces de femmes, ils les regardent toutes sous un point de vue animal. De tels hommes sont, à vrai dire, sots et stupides. C'est pourquoi ce livre a été composé, afin d'empêcher le gaspillage de vies et d'amours; et les bienfaits qui doivent résulter de son étude sont résumés dans les versets suivants :

« L'homme qui possède l'Art d'Amour, et qui sait procurer à la femme une jouissance complète et variée,

« A mesure qu'il avance en âge, modère ses passions; il lui est loisible de penser à son Créateur, d'étudier les sujets religieux, et d'acquérir la science divine :

« De là, pour lui, dispense de transmigration d'âmes ultérieure; et lorsque le roman de sa vie est dûment achevé, il s'en va tout droit avec son épouse au *Svarga* (ciel). »

Ainsi donc, vous tous qui lirez ce livre, vous saurez quel délicieux instrument est la femme, quand on sait en jouer avec art; combien elle est capable de produire la plus exquise harmonie, d'exécuter les variations les plus compliquées et de donner les plus divins plaisirs.

Finalement, qu'il soit entendu que chaque *Shloka* (stance) de cet ouvrage a une double signification, à la manière du *Vedanta,* et peut être interprété de deux façons, soit mystique, soit amoureuse.

ANANGA-RANGA

CHAPITRE PREMIER

SECTION PREMIÈRE

Des quatre ordres de femmes

En premier lieu, il doit être entendu que les femmes se divisent en quatre classes, d'après leurs tempéraments. Il y a donc :

1° La *Padmini;*
2° La *Chitrini;*
3° La *Shankhini;*
4° La *Hastini.*

Ces divisions correspondent aux quatre différentes phases de *Moksha,* ou Dispense de Transmigration ultérieure. La première de ces phases est *Sayujyata,* ou l'absorption dans l'essence de la Divinité; la seconde est *Samipyata,* ou l'approche de la Divinité, le fait d'être né dans la Divine Présence; la troisième est *Sarupata,* ou la ressemblance à la Divinité par les membres et le corps matériel; la quatrième, enfin, est *Salokata,* ou la résidence dans le ciel de quelque dieu particulier.

Le nom de la femme, en effet, est *Nari,* ce qui signifie : *Non Ari,* ou pas d'ennemi; nom qui convient à *Moksha,* ou l'absorption, car tout le monde l'aime et il aime tout le monde.

Padmini signifie donc *Sayujyata,* autrement *Khadgini-Moksha* (dispense du glaive), soit l'absorption de l'homme dans *Narayan* (divinité), qui vit dans le *Khshirabdi,* ou Mer de lait, l'un des sept océans, du nombril de laquelle est sorti le *Padma,* ou fleur de lotus.

La *Chitrini* est *Samipyata-Moksha,* du genre de ceux qui, ayant été incarnés comme dieux, accomplissent des œuvres merveilleuses de toute nature. La *Shankhini* est *Sarupata-Moksha :* de même aussi l'homme qui prend la forme de Vishnou porte sur son corps le *Shankha* (coquillage), le *Chakra* ou disque, et d'autres emblèmes de ce dieu. La *Hastini* est *Salokata-Moksha,* car elle est sur la terre ce qu'est la résidence dans le ciel de Vishnou pour ceux qui ont attributs et propriétés, galbe et forme, mains et pieds.

SECTION II

Particularités personnelles des quatre classes

Et maintenant, apprenez par ce qui suit à distinguer l'un de l'autre les quatre ordres de femmes.

Celle en qui apparaissent les signes et symptômes ci-après s'appelle *Padmini,* ou femme-lotus[1]. Son visage est plaisant comme la pleine lune; son corps, bien en chair, est doux comme les *Shiras*[2] ou la fleur de moutarde; sa peau est fine, tendre et belle comme le lotus jaune, jamais noire, quoiqu'elle ressemble, dans l'effervescence et la chaude coloration de sa jeunesse, au nuage près d'éclater. Ses yeux sont brillants et beaux comme ceux du faon, bien découpés, et rougeâtres aux coins. Ses seins sont durs, pleins et élevés; son cou est gentiment taillé comme un coquillage, et si délicat que la salive s'y peut voir au travers; son nez est droit et gracieux; et trois plis ou rides se dessinent sur le milieu de son corps, vers la région ombilicale. Son *Yoni*[3] ressemble au bouton de lotus qui s'entrouvre, et sa semence

1. Sans aucun doute le tempérament nerveux, avec quelque chose du bilieux et du sanguin.

2. Arbre élevé, à pollen soyeux et odorant.

3. Le *Yoni* est l'organe féminin, par opposition au *Lingam* (Priape), organe masculin.

d'amour (*Kama-salila,* la liqueur de vie)[1] est parfumée comme le lis qui vient de s'épanouir. Elle marche avec la noblesse du cygne, et sa voix est grave et musicale comme l'accent de l'oiseau *Kokila*[2]; elle aime les vêtements blancs, les fins joyaux et les riches parures. Elle mange peu, dort légèrement, et, non moins décente et religieuse qu'elle est adroite et courtoise, sa continuelle préoccupation est d'adorer les dieux et de jouir de la conversation des Brahmanes. Telle est la femme *Padmini,* ou Lotus.

La *Chitrini,* ou femme artiste[3], est de taille moyenne, ni petite ni grande, avec les cheveux d'un noir d'abeille, le cou fin, rond, brillant comme l'écaille; le corps délicat; la taille élancée comme celle du lion; les seins durs, bien remplis; les cuisses faites au tour et les hanches divinement saillantes. Le poil est rare autour du Yoni; le Mont de Vénus doux au toucher, proéminent et rond. Le Kama-salila (semence d'amour) est chaud; il a le parfum du miel et, par son abondance, il produit un son dans l'acte vénérien. Ses yeux

---

1. Voyez la note, chap. IV, relative aux idées des Hindous sur le sperme humain, et, pour les vermicules du Yoni, chap. III, sect. III.

2. Communément appelé le coucou indien, dont la voix est cependant dure et désagréable. Dans la poésie et la fiction, il tient la place du bulbul de Perse et du rossignol d'Europe.

3. Le tempérament sanguin.

sont mobiles, sa marche coquette comme le balancement de l'éléphant; sa voix est celle du paon[1]. Elle aime le plaisir et la distraction, se délecte à chanter, excelle dans toute sorte d'exercices et spécialement dans les arts manuels. Ses désirs charnels ne sont pas violents; elle aime ses perroquets, Mainas et autres oiseaux mignons. Telle est la Chitrini, ou femme-artiste.

La *Shankhini*[2], ou femme-conque, est de tempérament bilieux. Sa peau est toujours chaude et bronzée, ou d'un jaune brun sombre; son corps est grand, sa taille épaisse, ses seins petits; sa tête, ses mains et ses pieds sont minces et longs; elle regarde du coin des yeux. Son Yoni est toujours moite de Kama-salila, d'une saveur de sel prononcée, et la fente est couverte d'un poil très épais. Sa voix est rauque et rude, du genre basse ou contralto; sa démarche est précipitée; elle mange avec modération et se complaît aux habillements, fleurs et parures de couleur rouge. Elle est sujette à des accès de passion amoureuse qui lui échauffent la tête et lui troublent le cerveau[3], et, au moment de la

1. C'est-à-dire belle comme celle du paon, que les Hindous ne méprisent pas comme les Européens. Ils la comparent au sifflement de la mousson pluvieuse, qui réjouit la terre altérée et les hommes brûlés de soleil.

2. Le tempérament bilieux.

3. C'est ainsi qu'Apollonius de Rhodes décrit la passion de Médée : « Le feu qui la dévore attaque tous ses nerfs et

jouissance, elle enfonce ses ongles dans la chair de son mari. Elle est d'une constitution colérique, dure de cœur, insolente et vicieuse; irascible et toujours disposée à chercher querelle. Telle est la Shankhini, ou femme-conque.

La *Hastini* est de petite taille; son corps est trapu, robuste, et sa peau, si elle est blonde, d'un blanc mat; ses cheveux sont bronzés, ses lèvres fortes; sa voix rude, sourde et rauque; son cou penché. Son allure est lente; elle marche en s'inclinant; elle a souvent, à un pied, les orteils crochus. Son Kama-salila a la saveur du suc qui, au printemps, découle des tempes de l'éléphant. Paresseuse dans l'œuvre d'amour, un congrès prolongé peut seul la satisfaire; en fait, le plus long est toujours le meilleur, sans pouvoir jamais lui suffire. Elle est gloutonne, impudente et irascible. Telle est la Hastini, ou femme-éléphant [1].

---

se fait sentir jusque derrière sa tête, là où la douleur est la plus poignante; en même temps, une frénésie aiguë s'empare de tous ses sens. »

1. Femme éléphant : parce que cet animal est censé avoir une main, se servant, comme il fait, de sa trompe, et que Hastini correspond à Karamị, de *Kara,* main. C'est la *mulier nigris dignissima barris*, du tempérament lymphatique, c'est-à-dire le plus grossier. Ces divisions, comme nous l'avons fait observer, représentent à peu près, sans précision scientifique, les quatre tempéraments européens : nerveux, sanguin, bilieux et lymphatique. Les trois tempéraments hindous sont décrits dans un des chapitres suivants.

SECTION III

Jours où la jouissance est plus grande pour les quatre classes

Ayant ainsi décrit les quatre classes du sexe féminin, Kalyana Malla, l'archi-poète, donne un tableau des jours où chacune de ces catégories éprouve le plus de plaisir dans l'exercice vénérien. Il faut apprendre par cœur ces périodes, et l'étudiant doit être bien convaincu que, tout autre jour non spécifié, aucune sorte de congrès ne pourra satisfaire leur passion. Lisez donc, et pénétrez-vous de ces préceptes :

TABLEAU [1]

Pratipada 1er jour	*Dvitiya* 2e jour	*Chaturthi* 4e jour	*Panchami* 5e jour	Satisfont la Padmini
Shashati 6e jour	*Ashtami* 8e jour	*Dashami* 10e jour	*Dwadashi* 12e jour	Satisfont la Chitrini
Tritiya 3e jour	*Saptami* 7e jour	*Ekadashi* 11e jour	*Trayodashi* 13e jour	Satisfont la Shankini
Navami 9e jour	*Chaturdashi* 14e jour	*Purnima* Pleine lune	*Amavasya* Nouvelle lune	Satisfont la Hastini

1. Les jours *(Tithi)* sont ceux de la quinzaine lunaire; le Pratipada, par exemple, est le premier, lorsque la lune commence à croître ou à décroître.

SECTION IV

Des heures qui procurent le plus haut degré de jouissance

Les femmes, ceci est à observer, diffèrent grandement l'une de l'autre quant aux moments de la journée où la jouissance leur est le plus agréable : cette prédilection dépend de leur classe et de leur tempérament. La Padmini, par exemple, ne trouve pas de plaisir dans le congrès nocturne : il lui est même tout à fait odieux. Comme le *Surya Kamala* (lotus de jour), qui ouvre ses yeux à la lumière, elle aime les embrassements d'un époux, fût-il presque enfant, aux heures brillantes de la journée. La Chitrini et la Shankhini sont comme le Chandra Kamala, ou lotus de nuit, qui s'épanouit aux rayons de la lune; mais la Hastini, qui est la plus grossière, ignore toutes ces délicates distinctions.

Les tableaux suivants indiquent le *Pahar*[1], ou *veille* de la nuit et du jour, pendant lequel les quatre classes de femmes éprouvent le plus de plaisir :

---

1. Comme dans l'horographie classique, le jour et la nuit sont divisés par les Hindous en huit *veilles,* chacune de sept *ghari* ou heures (1 ghari = 24').

TABLEAU I

Réglant les heures de nuit

1er PAHAR De 6 à 9 h du soir	2e PAHAR De 9 h du soir à minuit	3e PAHAR De minuit à 3 h du matin	4e PAHAR De 3 à 6 h du matin
»	»	»	La Padmini
La Chitrini	»	»	»
»	»	La Shankhini	»
La Hastini	La Hastini	La Hastini	La Hastini

TABLEAU II

Réglant les heures de jour

1er PAHAR De 6 à 9 h du matin	2e PAHAR De 9 h du matin à midi	3e PAHAR De midi à 3 heures	4e PAHAR De 3 à 6 h du soir
La Padmini	La Padmini	La Padmini	La Padmini
»	»	La Hastini	La Hastini

Il convient de remarquer ici que la Chitrini et la Shankhini ne trouvent aucun plaisir dans le congrès diurne.

C'est ainsi que l'archi-poète Kalyana Malla a enseigné au Rajah Ladkhan comment les femmes se divisent en quatre classes, dont chacune a ses particularités de corps et d'esprit, et ses divers temps de jouissance, suivant l'état de la lune et l'heure du jour et de la nuit.

CHAPITRE II

Des différents sièges de la passion chez les femmes

Et, en outre, sachent les hommes que la passion réside dans différentes parties et membres du corps féminin, et qu'en y appliquant le *Chandrakala*[1] nécessaire, autrement dit les attouchements préparatoires, il en résultera grand plaisir et soulas tant pour le mari que pour la femme. D'un autre côté, si l'on néglige l'opération indiquée par le tableau suivant pour chaque jour de la quinzaine lunaire, aucun des deux sexes ne sera pleinement

1. *Chandrakala* signifie proprement un *doigt,* ou un soixantième de l'orbe lunaire.

satisfait; tous deux, au contraire, chercheront dans des embrassements étrangers la satisfaction de leur luxure : d'où adultère, querelles, meurtres et autres actes criminels, qui se peuvent tous éviter, si l'on étudie, de façon à le bien posséder, le Chandrakala.

La passion réside dans le côté droit de la femme pendant le *Shuklapaksha,* première quinzaine ou quinzaine lumineuse du mois lunaire, de la nouvelle à la pleine lune, inclus le quinzième jour. C'est le contraire qui est le cas pendant la quinzaine sombre, inclus son premier jour, et de la pleine lune à la nouvelle. L'alternance est sans doute l'effet de la lumière et de l'obscurité : autrement le siège de la passion serait toujours le même.

TABLEAU III

Shuklapaksha ou Quinzaine lumineuse : COTÉ DROIT		ATTOUCHEMENTS qui satisfont la passion	*Krishnapaksha* ou Quinzaine sombre : COTÉ GAUCHE	
Jour	Endroit		Endroit	Jour
15e	Tête et cheveux	Saisissez les cheveux et caressez la tête du bout des doigts	Tête et cheveux	1er
14e	Œil droit	Baisez et caressez	Œil gauche	2e
13e	Lèvre inférieure	Baisez, mordez et mâchez doucement	Lèvre supérieure	3e
12e	Joue droite	id.	Joue gauche	4e
11e	Gorge	Égratignez légèrement avec les ongles	Gorge	5e
10e	Côté	id.	Côté	6e
9e	Seins	Tenez dans vos mains et pétrissez légèrement	Seins	7e
8e	Toute la poitrine	Tapez doucement avec le bas du poing	Toute la poitrine	8e
7e	Nombril	Claquez doucement avec la paume ouverte	Nombril	9e
6e	Fesses	Saisissez, pressez et tapez avec le poing	Fesses	10e
5e	Yoni	Opérez par friction du Lingam	Yoni	11e
4e	Genou	Pressez en appuyant le genou et donnez des chiquenaudes	Genou	12e
3e	Mollet	Pressez en appuyant le mollet et donnez des chiquenaudes	Mollet	13e
2e	Pied	Pressez av. l'orteil et serrez	Pied	14e
1er	Gros orteil	id.	Gros orteil	15e

Maintenant, du général, Kalyana Malla, l'archi-poète, procède au particulier, et fournit des détails concernant les quatre classes de femmes. Commençant par la Padmini, il enseigne d'abord dans quelle partie ou membre de son corps réside la passion; et secondement, quelle est l'opération capable de la satisfaire. Le mari doit continuer son action jusqu'à ce qu'il voie le duvet du corps se hérisser et qu'il entende le *Sitkara*[1], c'est-à-dire le son inarticulé produit par l'aspiration de l'air entre les dents fermées. Il saura ainsi que le paroxysme est arrivé, et que sa bien-aimée est pleinement satisfaite.

---

1. *Sitkara :* ainsi nommé du son inarticulé « *S't! s't! s't! s't!* », qui se produit lorsqu'on respire fortement ou qu'on aspire de l'air froid entre ses dents. Il en sera traité au long dans le chapitre IX.

TABLEAU IV

Indiquant la manipulation de la Padmini

MEMBRE	*Pratipada* 1er jour	*Dvitiya* 2e jour	*Chaturthi* 4e jour	*Panchami* 5e jour
Gorge	Serrez av. force	»	»	»
Joue	Baisez et égratignez	Baisez et égratignez	»	»
Cheveux	»	»	»	Passez doucement la main droite
Taille	Appliquez les ongles et égratignez	»	»	»
Sein	»	»	Égratignez légèrement	»
Dos	Égratignez et tapez avec le poing	»	»	»
Poitrine	»	Pressez avec les ongles	Serrez et pétrissez	Pressez et frottez
Côté	Égratignez et pressez avec les ongles	»	»	»
Cuisse	»	Égratignez et pressez avec les ongles	»	»
Ventre	Égratignez et pressez avec les ongles	»	»	»
Bras	»	»	Secouez brusquement et tirez	»
Lèvre	Mordez doucement et baisez	Baisez	Mordez doucement et sucez	Mordez doucement
Tétin	»	»	»	Baisez, pincez doucement et frottez avec le pouce et l'index
Espace entre les yeux	Baisez	»	»	»
Pied	»	Égratignez et pressez avec les ongles	»	»

TABLEAU V

Indiquant la manipulation de la Chitrini

MEMBRE	*Shashti* 6e jour	*Ashtami* 8e jour	*Dashami* 15e jour	*Dwadashi* 12e jour
Yoni	»	Introduisez le Lingam	Frottez et égratignez avec la main gauche	»
Lèvre inférieure	Baisez	»	»	Mordez très doucement
Gorge	Embrassez	Serrez fortement avec les mains	Égratignez et passez les doigts dessus	Embrassez fortement
Taille	Égratignez et pressez avec les ongles	»	Passez dessus la main gauche et frottez	»
Nombril	»	Pincez avec ongles et doigts	»	»
Lèvre	»	Mordillez vite et longtemps	»	»
Sein	»	Tenez en main	Passez dessus la main gauche et frottez	»
Oreille	»	»	Caressez avec la main gauche	Appliquez-y les ongles
Cuisse	»	»	Frottez avec la main gauche	»
Milieu du corps	»	»	Passez dessus la main gauche et frottez	»
Dos	»	»	Frottez avec la main gauche et tapez avec le poing	»
Fesses	»	»	»	»
Front	»	»	Baisez fortement	»
Poitrine	»	»	»	Baisez et tapez
Œil	»	»	»	Tel ou tel geste qui fasse brusquement fermer les yeux
Cheveux	»	»	»	Tirez doucement

TABLEAU VI

Indiquant la manipulation de la Shankhini

MEMBRE	*Tritiya* 3e jour	*Saptami* 7e jour	*Ekadashi* 11e jour	*Trayodashi* 13e jour
Corps en général	Enlacez-le	Embrassez fortement	Étreignez	»
Lèvre inf.	Mordez	»	»	»
Bras	?	»	»	»
Seins	Égratignez rudement jusqu'à ce qu'il y ait des marques	»	»	Pressez jusqu'à ce qu'elle fasse entendre le son de *Sitkara*
Ventre	»	Égratignez et pressez avec les ongles	»	»
Poitrine	»	Pressez avec les ongles et caressez	»	»
Gorge	»	Égratignez et pressez avec les ongles	»	»
Oreille	»	Pressez avec les ongles	»	»
Pied	»	Pressez avec les ongles jusqu'à ce qu'il y ait des marques	»	»
Bouche ou visage	»	Baisez	»	»
Yoni	»	Introduisez le Lingam avec force	Poussez le Lingam comme si vous donniez un coup[1]	»
Lèvre	»	»	Baisez et sucez	»
Un pouce au-dessous de la tête	»	»	»	Écrivez-y pour ainsi dire avec les ongles
Bord inf. du Yoni	?	»	»	»

1. Dans l'original sanscrit et dans toutes les traductions, il est fait allusion à la pratique décrite par Juvénal (IV, 4) :

Radola dum Rhodopes uda terit inguina barba.

TABLEAU VII

Indiquant la manipulation de la Hastini

MEMBRE	*Navami* 9e jour	*Chaturdashi* 14e jour	*Purnima* Pleine lune	*Amavasya* Nouvelle lune
Yoni	Bourrez violemment avec le Lingam, ou même frottez fort avec la main	Égratignez, bourrez jusqu'à faire plier la taille	»	Manipulez et dépouillez comme une fleur
Nombril	Frottez et passez fréquemment la main dessus	»	»	»
Lèvre	Baisez et sucez	»	Baisez de diverses façons[1]	Baisez de diverses façons
Côté	Pressez avec les doigts et égratignez très doucement	»	»	»
Sein	Frottez, serrez, enlacez et faites-le tout petit	»	Tirez fort	Égratignez jusqu'à ce qu'il y ait des marques d'ongles
Poitrine	»	»	Égratignez et laissez des marques	Égratignez et laissez des marques
Tétin	»	»	Baisez et frottez avec le pouce et l'index	Passez la main dessus et frottez avec le pouce et l'index
Corps en général	»	»	Embrassez de diverses façons	Embrassez de diverses façons et pressez
Œil	»	Baisez	Baisez	Baisez
Aisselle	»	»	Égratignez et chatouillez	Égratignez et chatouillez

Ici finissent les tableaux du Chandrakala, par l'étude desquels les hommes peuvent satisfaire les femmes et soumettre les plus rebelles.

1. A rapprocher de ce que dit Shakespeare : « *Kissing with th'inner lip,* baiser avec la lèvre inférieure. »

CHAPITRE III

Des différentes sortes d'hommes et de femmes

SECTION PREMIÈRE

Hommes

Il y a trois sortes d'hommes, savoir : le *Shasha*, ou homme-lièvre; le *Vrishabha*, ou homme-taureau, et l'*Ashwa*, ou homme-cheval[1]. On peut les décrire en expliquant leur nature et en énumérant leurs particularités.

Le Shasha se reconnaît à un Lingam dont l'érection n'excède pas six largeurs de doigt,

1. Ces divisions paraissent encore représenter les tempéraments nerveux, bilieux et sanguin. Dans quelques manuscrits, les hommes sont divisés seulement par les trois longueurs de Lingam : six, neuf et douze pouces; cette dernière dimension serait celle des Africains ou Nègres.

ou environ trois pouces. Son corps est petit et maigre, mais bien proportionné; tout est petit : mains, genoux, pieds, reins et cuisses : ces dernières plus bronzées que le reste de la peau. Ses traits sont clairs et bien réguliers; son visage est rond; ses dents, courtes et fines; sa chevelure, soyeuse, et ses yeux, grands et bien ouverts. Il est de caractère paisible; faisant le bien par amour de la vertu; désireux de se créer un nom; modeste dans sa tenue. Sobre dans sa nourriture, il est également modéré en fait de désirs charnels. Finalement, il n'y a rien de reprochable dans son Kama-salila ou sperme.

Le Vrishabha se reconnaît à un Lingam de neuf largeurs de doigt, ou quatre pouces et demi. Son corps est robuste et souple, comme celui d'une tortue; sa poitrine est charnue, son ventre dur, et les fourchettes du haut du bras sont tournées de manière à le porter en avant. Son front est élevé, ses yeux grands et longs, avec des coins roses, et les paumes de ses mains sont rouges. Il est d'un tempérament cruel et violent, impatient et irascible, et son Kama-salila est toujours prêt.

L'Ashwa se reconnaît à un Lingam de douze doigts, ou environ six pouces de long. Il est grand et bien charpenté, mais point charnu; et il affectionne les femmes corpulentes et robustes, jamais celles de formes délicates. Son corps est dur comme le fer;

sa poitrine, large, pleine et musculaire; son corps au-dessous des hanches est long, ce qui est aussi le cas pour sa bouche et ses dents, son cou et ses oreilles, mais surtout, d'une façon remarquable, pour ses mains et ses doigts. Ses genoux sont, en quelque sorte, crochus, et cette distorsion peut aussi s'observer aux ongles de ses orteils. Ses cheveux sont longs, rudes et épais. Son regard est fixe et dur, sans changer d'expression, et sa voix est profonde comme celle d'un taureau. Il est peu intelligent, passionné, cupide, glouton, inconstant, paresseux, dormeur. Il marche lentement, plaçant un pied devant l'autre. Il se préoccupe peu du rite vénérien, si ce n'est à l'approche du spasme. Son Kama-salila est copieux, salé et ressemble à celui d'un bouc.

SECTION II
Femmes

De même que les hommes sont divisés en trois classes suivant la longueur du Lingam, de même les quatre ordres de femmes, Padmini, Chitrini, Shankhini et Hastini, peuvent se subdiviser en trois sortes, suivant la profondeur et l'étendue de leur Yoni. Nous avons ainsi la Mrigi, aussi appelée Harini, la femme-biche; la Vadva ou Ashvini, la femme-jument, et la Karini, ou femme-éléphant.

La Mrigi a un Yoni d'une profondeur de six doigts. Son corps est délicat, d'apparence juvénile, doux et tendre. Sa tête est petite et bien proportionnée; sa poitrine se tient bien; son estomac est mince et rentré; ses cuisses et le Mont de Vénus sont charnus; le dessous des hanches solide; les bras, à partir des épaules, forts et arrondis. Ses cheveux sont épais et frisés; ses yeux, noirs comme la fleur de lotus sombre; ses narines sont fines; ses joues et ses oreilles, grandes; ses mains, ses pieds et sa lèvre inférieure sont rouges; ses doigts sont effilés. Sa voix est celle de l'oiseau Kokila, et son allure le balancement de l'éléphant. Elle mange modérément, mais est fort adonnée aux plaisirs de l'amour; elle est affectionnée, mais jalouse; elle a l'esprit actif lorsque ses passions ne la dominent pas. Son Kama-salila a l'agréable parfum de la fleur de lotus.

La Vadva ou Ashvini compte neuf doigts de profondeur. Son corps est délicat; ses bras sont épais à partir des épaules; ses seins et ses lèvres sont forts et charnus; la région ombilicale est élevée, mais sans protubérance de l'estomac. Ses mains et ses pieds sont rouges comme des fleurs et bien proportionnés. Sa tête penche en avant; elle est couverte d'une chevelure longue et lisse; son front est fuyant, son cou long et très penché; sa gorge, ses yeux, sa bouche sont larges, et ses yeux sont comme les pétales du lotus sombre. Elle marche avec grâce; elle aime le sommeil et la bonne chère. Bien qu'elle soit colérique et versatile, elle affectionne son mari. Elle n'arrive pas aisément au spasme vénérien. Son Kama-salila est parfumé comme le lotus.

La Karini a un Yoni d'une profondeur de douze doigts. Malpropre dans sa personne, elle a des seins énormes; son nez, ses oreilles et sa gorge sont longs et épais; ses joues, bouffies ou dilatées; ses lèvres sont longues et débordent; ses yeux sont farouches et teintés de jaune; sa figure est large; ses cheveux sont épais et noirâtres; ses pieds, ses mains et ses bras sont courts et gras; ses dents, grandes et aiguës comme celles d'un chien. Elle mange avec bruit; sa voix est dure et aigre; elle est gloutonne à l'extrême; et ses articulations craquent à chaque mouvement. Méchante par nature et tout à fait sans scrupule, elle n'hésite jamais à commettre le mal. Les désirs charnels l'excitent et la tourmentent, à ce point qu'elle est difficilement satisfaite et qu'il lui faut un congrès prolongé outre mesure. Son Kama-salila est très abondant, et il rappelle le suc qui découle des tempes de l'éléphant.

Le lecteur avisé observera que toutes ces caractéristiques ne sont pas également bien définies, et que l'expérience seule peut en faire connaître les proportions. Le plus souvent, les tempéraments sont mêlés; il y a souvent une combinaison de deux, et même, dans certains cas, de trois. Il est donc nécessaire d'examiner avec le plus grand soin s'il existe ou non tels ou tels signes et symptômes, afin de choisir le Chandrakala et les autres manipulations convenables; car, à défaut de cet examen, les résultats du congrès ne sont pas satisfaisants. L'étudiant doit, en conséquence, se tenir pour averti que les distinctions de Padmini, Chitrini, Shankhini et Hastini, ou de Sasha, Vrishabha et Ashva, et de Mrigi (Harini), Vadva (Ashvini) et Karini sont rarement absolues, et qu'il lui importe d'étudier les proportions dans lesquelles elles se combinent.

Avant de procéder aux divers actes de congrès, il est utile d'exposer les symptômes de l'orgasme chez la femme. Aussitôt qu'elle commence à sentir du plaisir, ses yeux se ferment à demi et s'humectent; le corps devient froid; la respiration, d'abord dure et saccadée, se perd en sanglots ou soupirs; les membres inférieurs, après une période de rigidité, s'étirent; puis, c'est une effervescence d'amour et d'affection, avec force baisers et gestes passionnés; et, finalement, elle semble s'évanouir. A ce moment, il est manifeste qu'elle a du dégoût pour d'autres embrassements et d'autres caresses; l'homme sage connaît alors que, le paroxysme ayant eu lieu, la femme est pleinement satisfaite, et il s'abstient, en conséquence, de pousser plus loin le congrès.

SECTION III

Du Congrès

Les hommes et les femmes, d'après les mesures ci-dessus données, se divisant en trois catégories, il s'ensuit que le congrès peut s'opérer dans neuf conditions. Comme, toutefois, quatre de ces conditions sont inusitées, il est permis de les négliger et de porter seulement son attention sur les cinq suivantes :

1. *Samana :* lorsque les proportions des deux amants sont pareilles et égales; tous deux reçoivent alors pleine satisfaction.

2. *Uchha :* c'est l'excès de proportion chez l'homme; le congrès en est rendu pénible et difficile, de sorte qu'il ne contente pas la femme.

3. *Nichha :* littéralement *creux* ou *bas,* et métaphoriquement lorsque l'homme est de proportions inférieures; il en résulte peu de contentement pour l'un comme pour l'autre.

4. *Ati-uchha :* exagération de Uchha; et

5. *Ati-nichha :* exagération de Nichha.

Les tableaux ci-après divisent le congrès des diverses dimensions en trois catégories, qui sont respectivement dénommées : *Uttama,* la meilleure; *Madhyama,* la moyenne, et *Kanishtha,* la pire.

TABLEAU VIII

Applicable au Shasha, ou Homme-lièvre

HOMME ET FEMME	PROPORTION DES MEMBRES	CATÉGORIE
Shasha Mrigi	6 doigts de longueur 6 doigts de profondeur	Uttama
Sasha Vadva ou Ashvini	6 doigts de longueur 9 doigts de profondeur	Madhyama
Sasha Karini	6 doigts de longueur 12 doigts de profondeur	Kanishtha

TABLEAU IX

Applicable au Vrishabha, ou Homme-taureau

HOMME ET FEMME	PROPORTION DES MEMBRES	CATÉGORIE
Vrishabha Ashvini	9 doigts de longueur 9 doigts de profondeur	Uttama
Vrishabha Harini	9 doigts de longueur 6 doigts de profondeur	Madhyama
Vrishabha Karini	9 doigts de longueur 12 doigts de profondeur	Kanishtha

TABLEAU X

Applicable à l'Ashva, ou Homme-cheval

HOMME ET FEMME	PROPORTION DES MEMBRES	CATÉGORIE
Ashva Karini	12 doigts de longueur 12 doigts de profondeur	Uttama
Ashva Ashvini	12 doigts de longueur 9 doigts de profondeur	Madhyama
Ashva Harini	12 doigts de longueur 6 doigts de profondeur	Kanishtha

A considérer ces tableaux, il est tout à fait évident que la plus grande somme de bonheur consiste dans la correspondance des dimensions, et que le non-contentement s'accroît en raison du désaccord. Et de ce fait la raison est palpable :

Il y a trois espèces de vermicules portés par le sang dans le Yoni[1], à savoir : *Sukshma* (petits), *Madhyama* (moyens) ou *Adhikabala* (grands). Dans leurs différentes proportions, ils produisent un prurit et une titillation, d'où naît le désir charnel que seul le congrès peut

1. La théorie des spermatozoaires est ici en germe : voyez la note finale du chapitre IV.

apaiser. On conçoit dès lors qu'un Lingam de petite dimension ne saurait suffire. D'un autre côté, l'excès de longueur offense la délicatesse des parties et cause de la douleur plutôt que du plaisir. Mais la plus haute proportion de jouissance résulte de l'exacte adaptation du Lingam, particulièrement lorsque le diamètre est en rapport avec la longueur, et que la force de l'érection permet au mari de songer aux pratiques qui ont pour effet d'assujettir les femmes.

SECTION IV

Des autres distinctions mineures dans le congrès

Chacune des neuf formes de congrès ci-dessus se subdivise en neuf autres classes, qui vont être énumérées.

Il y a trois formes de *Vissrishti,* c'est-à-dire d'émission de Kama-salila, chez l'homme et chez la femme, considérée par rapport à la longueur ou à la brièveté du temps :

1. *Chirasambhava-vissrishti* est celle qui occupe un grand espace de temps.

2. *Madhyasambhava-vissrishti* est celle qui s'effectue dans une courte période.

3. *Shighrasambhava-vissrishti* est celle qui se termine promptement.

Il y a aussi trois degrés de *Vega,* c'est-à-dire de force du désir charnel, résultant de l'énergie mentale ou vitale et agissant sur les hommes et sur les femmes. Pour expliquer ceci, une comparaison peut être utile. La faim, par exemple, se fait sentir à tous les êtres humains, mais elle les affecte différemment. Il en est qui doivent la satisfaire tout de suite, faute de quoi ils tomberaient en défaillance; d'autres peuvent l'endurer plus ou moins longtemps, et d'autres, enfin, n'en souffrent que fort peu. Les *Vegas,* ou capacités de jouissance, sont :

1. *Chanda-vega,* appétit ou entraînement furieux; la plus haute capacité.
2. *Madhyama-vega,* ou désirs modérés.
3. *Manda-vega,* concupiscence paresseuse ou froide; la plus basse capacité.

La femme qui possède Chanda-vega se reconnaît à ce que toujours elle recherche le plaisir charnel; il lui faut en jouir fréquemment, et ce n'est pas assez pour elle d'un seul orgasme. Si elle en est privée, il semble qu'elle soit hors d'elle-même. C'est tout le contraire pour celle qui a Manda-vega : elle est si peu disposée à la jouissance, qu'elle se refuse toujours à son mari. Enfin, celle qui possède Madhyama-vega est la plus heureuse, car elle est libre de l'un et l'autre excès.

Il y a encore trois *Kriyas,* actes ou procédés qui produisent l'orgasme chez l'homme et chez la femme; ce sont :

1. *Chirodaya-kriya :* s'entend des efforts longtemps continués avant de produire un résultat.

2. *Madhyodaya-kriya :* ceux qui agissent dans un temps modéré.

3. *Laghudaya-kriya :* les plus courts.

Ainsi, nous devons observer qu'il existe neuf différentes formes de congrès, suivant la longueur et la profondeur des organes. Il y en a aussi neuf, déterminées par la longueur ou la brièveté du temps nécessaire pour amener l'orgasme, et neuf autres provenant des Kriyas ou procédés qui précipitent la conclusion. En somme, nous avons vingt-sept sortes de congrès qui, en multipliant les neuf espèces et les trois périodes, donnent un total général de deux cent quarante-trois ($9 \times 9 = 81 \times 3 = 243$).

CHAPITRE IV

Description des qualités générales, caractéristiques, tempéraments, etc., des femmes

LE TABLEAU suivant montrera les particularités de la femme, dans les quatre périodes de sa vie où elle est apte à l'amour. Disons d'abord qu'elle est appelée *Kanya* depuis sa naissance jusqu'à l'âge de huit ans, où commence *Balyavastha,* ou l'enfance; et *Gauri,* d'après la blanche déesse Parvati, de cette période à sa onzième année; *Tarunyavastha,* lorsqu'elle est nubile; vient ensuite *Yavavastha,* la jeune femme, et *Vreuddhavastha,* la vieille.

TABLEAU XI

Indiquant les qualités propres aux différents âges

AGE	NOM	EN CE QUI CONCERNE L'AMOUR	SORTE DE CONGRÈS PRÉFÉRÉ	COMMENT ON L'ASSUJETTIT
11 à 16 ans	Bala	Apte	Dans l'obscurité	Par des fleurs, de petits présents, des dons de bétel, etc.
16 à 30 ans	Taruni	Id.	Dans le jour	Par des cadeaux de vêtements, perles et parures
30 à 55 ans	Praudha	Apte (?)	Dans l'obscurité ou dans le jour	Par des attentions, des politesses, de la bienveillance et de l'amour
Au-delà de 55 ans	Vriddha	Inapte	Devient malade et infirme	Par la flatterie

Il faut observer encore qu'il y a trois empéraments de femmes, reconnaissables aux :aractéristiques ci-après :

Les signes de *Kapha* (diathèse lymphatique ›u flegmatique) sont : des yeux, des dents t des ongles brillants; le corps est bien onservé, et les membres ne perdent pas leur ɔrme juvénile. Le Yoni est frais et ferme, harnu, délicat pourtant. Elle aime et respecte on mari. Tel est le tempérament lymphaque, le plus élevé.

Ensuite vient le *Pitta,* ou diathèse bilieuse.

La femme dont les seins et les fesses sont flasques et pendants, non orbiculaires; dont la peau est blanche, avec les yeux et les ongles rouges; dont la sueur est âcre, et le Yoni chaud et relâché; qui est très experte dans la science du congrès, mais ne peut l'endurer longtemps, et dont l'humeur est alternativement et brusquement colère ou joyeuse : une telle femme passe pour être du tempérament Pitta ou bilieux.

Celle dont le corps est noir, rude et grossier; dont les yeux et les ongles sont noirâtres, et dont le Yoni, au lieu d'être velouté, est raboteux comme la langue d'une vache; celle dont le rire est strident; dont l'instinct est porté à la gloutonnerie; qui est fantasque et bavarde, et qui, dans le congrès, a peine à se rassasier : cette femme est du tempérament *Vata* ou venteux, le pire de tous.

En outre, il est bon de considérer les femmes par rapport à leur existence antérieure : au *Satva,* c'est-à-dire à la disposition qu'elles ont héritée d'une vie précédente et qui influe sur leurs natures terrestres.

La *Devasatva-stri,* qui appartient aux dieux, est vive et gaie; son corps est pur et net; son haleine, parfumée comme la fleur de lotus; elle est adroite, riche et industrieuse; parlant avec douceur, portée au bien, elle se plaît toujours aux bonnes œuvres; son esprit est aussi sain que son corps, et ses amis ne lui causent jamais ennui ni dégoût.

La *Gandharvasatva-stri,* qui tire son nom des *Gandharvas,* ou ménestrels célestes, est de taille élégante, d'esprit patient, d'inclinations pures; elle aime passionnément les parfums, les substances et les fleurs odorantes, les chants, les jeux, les riches vêtements et les brillantes parures, les exercices de corps et les jeux d'amour, spécialement le *Vilasa,* l'une des sortes d'actions féminines qui révèlent la passion amoureuse.

La *Yakshasatva-stri,* dont le nom est dérivé de celui du demi-dieu qui préside aux jardins et aux trésors de Kuvera[1], a des seins développés et charnus, avec une peau fraîche comme la fleur de *champa* blanc; elle aime les viandes et les liqueurs; est immodeste, sans retenue, passionnée, irascible, et à toute heure avide de congrès.

La *Manushyasatva-stri,* essentiellement humaine, se complaît dans l'amitié et l'hospitalité. Elle est décente et honnête; son cœur est sans malice, et elle est toujours prête aux actes de religion, aux vœux, aux pénitences.

La *Pisachasatva-stri,* qui est en rapport avec cette classe de démons, a le corps ramassé, très noir et très chaud, avec un front toujours plissé; malpropre dans sa personne, gourmande, avide de viandes et de choses défendues, et néanmoins très recherchée, elle est insatiable de congrès.

---

1. Le Plutus hindou, dieu de la richesse.

La *Nagasatva-stri,* ou femme-vipère, est toujours en mouvement, toujours inquiète; ses yeux sont mornes; elle bâille à tout moment et pousse de profonds soupirs; elle manque de mémoire et vit dans le doute et le soupçon.

La *Kakasatva-stri,* qui possède les caractéristiques du corbeau, roule continuellement les yeux comme si elle souffrait; tout le long du jour elle veut manger; elle est sotte, maladroite et inconsidérée, gâtant tout ce qu'elle touche.

La *Vanarasatva-stri,* ou femme-singe, se frotte les yeux tout le long du jour, grince et claque des dents; d'ailleurs très vive, active et délurée.

La *Kharasatva-stri,* dont les caractéristiques sont celles de l'âne [1], est malpropre dans sa personne, fuit les bains, les ablutions, ne purifie pas ses vêtements; elle est incapable de donner une réponse précise, et elle parle sottement et même sans raison, parce qu'elle a l'esprit de travers.

---

1. Les races sémitiques ont domestiqué l'âne et reconnu ses admirables qualités; elles le traitent avec respect, et ne rougissent pas de lui être comparées; exemple : « Issachar est un âne robuste. » Les anciens rois égyptiens (de 4000 à 1000 avant Jésus-Christ) n'avaient pas de chevaux dans leurs armées actives, et il semble que la loi de Moïse en condamne l'emploi. L'*Equus caballus* fut conquis et utilisé par les Caucasiens dans l'Asie Centrale, et ils accablèrent son rival d'insultes et de mépris, attribuant sa création à Vishvakarma, qui avait caricaturé l'ouvrage des dieux.

Le sujet des Satvas est de ceux qui exigent une sérieuse étude, car les caractéristiques en sont toujours variables; l'expérience peut seule déterminer la classe à laquelle les femmes appartenaient dans la vie antérieure et qui a imprimé sa marque, dans la vie présente, sur leurs corps et sur leurs esprits.

La femme dont la poitrine est dure et charnue, qui paraît petite parce que sa charpente est bien remplie, dont la peau est brillante et claire, une telle femme est connue pour jouir avec son mari d'un congrès quotidien.

La femme qui, étant mince, paraît très grande, avec la peau tirant sur le brun, dont les membres et le corps sont inertes et flasques, ce qui est l'effet d'une chasteté involontaire, une telle femme s'appelle *Virahini :* elle souffre d'une longue séparation d'avec son mari et de la privation des embrassements conjugaux.

Une femme qui mange deux fois autant qu'un homme, est quatre fois plus paresseuse et méchante, six fois plus hardie et obstinée, huit fois plus enragée de désir charnel. A peine peut-elle maîtriser sa luxure, malgré la honte naturelle à son sexe.

Voici les signes auxquels le sage reconnaît qu'une femme est amoureuse. Elle peigne et lisse continuellement sa chevelure, par désir de plaire. Elle gratte sa tête, pour y attirer l'attention. Elle caresse ses joues, pour exciter son mari. Elle relève sa robe sur sa poitrine, en apparence pour la rajuster, mais elle laisse ses seins à demi découverts. Elle mord sa lèvre inférieure, comme si elle la mâchait. Par moments on la voit rougir sans cause (résultat de ses propres délires), et elle demeure assise dans un coin, immobile, alourdie de concupiscence. Elle embrasse ses amies, riant avec éclat, disant de douces paroles, avec des plaisanteries, des quolibets, dont elle désire et provoque la repartie. Elle baise et caresse de jeunes enfants, surtout des garçons. Elle sourit d'une joue, traîne dans sa marche et s'étire sans nécessité, sous un prétexte ou un autre. Parfois elle regarde ses épaules et sous ses bras. Elle balbutie, ne parle pas clairement ni distinctement. Elle soupire et sanglote sans motif; elle bâille quand elle a envie de tabac, de nourriture ou de sommeil. Elle se jette en travers du chemin de son mari et ne s'en retire pas aisément.

Voici maintenant les huit signes d'indifférence à noter chez la femme. Quand la passion charnelle commence à faiblir, l'épouse ne regarde plus en face son mari. S'il lui demande quelque chose, elle montre de la répugnance à répondre. Si l'homme s'approche d'elle et paraît de bonne humeur, elle s'en afflige. S'il la quitte, elle en marque du contentement. Au lit, elle évite les caresses amoureuses et s'allonge tranquillement pour dormir. Son mari veut-il la baiser ou l'étreindre, elle se retire. Elle n'a que de mauvais sentiments pour les amis de son mari; ni respect ni révérence pour sa famille. A tous ces signes, on reconnaît que la femme n'a plus aucun désir des embrassements conjugaux.

Les causes principales qui font dévier les femmes de la voie droite et les poussent à la débauche sont les suivantes : 1° Leur séjour, lorsqu'elles sont grandes, dans leur *Maher* (maison de leur mère), quand elles devraient demeurer chez les parents de leur mari. 2° La société de personnes dépravées de leur propre sexe. 3° L'absence prolongée de leur mari. 4° La fréquentation d'hommes grossiers et licencieux. 5° La pauvreté et le manque de bonne nourriture et de vêtements. 6° Le trouble de l'esprit, la tristesse, les contrariétés qui leur causent ennui et découragement.

Il y a quinze causes principales qui rendent les femmes malheureuses : 1° La parcimonie de leurs parents et de leurs maris, car les jeunes femmes sont naturellement libérales. 2° Trop de respect et de révérence lorsqu'elles-mêmes ont le cœur léger; la crainte des personnes avec qui elles voudraient être familières, et une trop grande abstention des plaisirs honnêtes et permis. 3° Les maladies ou infirmités. 4° La séparation d'avec le mari et la privation du plaisir sensuel. 5° Un travail trop dur. 6° La violence, l'inhumanité, la cruauté (coups et sévices). 7° Un langage grossier et méprisant. 8° Des soupçons sur leur inclination au mal. 9° L'intimidation, les menaces de châtiment pour leurs écarts. 10° La calomnie, l'accusation de méfaits, les injures. 11° Le manque de propreté dans la personne ou les habits. 12° La pauvreté. 13° Les peines de cœur, le chagrin. 14° L'impuissance du mari. 15° Le défaut d'attention aux conditions de temps et de lieu dans le congrès.

Les douze périodes pendant lesquelles les femmes désirent le plus le congrès et sont le plus aisées à satisfaire sont les suivantes : 1° Lorsqu'elles sont fatiguées par la marche ou épuisées par un exercice de corps. 2° Après une longue privation de commerce avec le mari, comme dans le cas de la Virahini. 3° Un mois après les couches. 4° Durant les premiers mois de la grossesse. 5° Lorsqu'elles sont tristes, languissantes, endormies. 6° Après une fièvre récemment guérie. 7° Lorsqu'elles montrent des signes de gaieté ou font mine de pudeur. 8° Lorsqu'elles paraissent plus que d'ordinaire joyeuses et contentes. 9° Le *Ritu-snata :* immédiatement avant et après les menstrues[1]. 10° Pour les jeunes filles, lorsqu'on a joui d'elles pour la première fois. 11° Pendant toute la saison du printemps. 12° Lorsqu'il fait du tonnerre, des éclairs, de la pluie. A de tels moments, il est facile aux hommes de soumettre les femmes.

Apprenez, en outre, qu'il y a quatre sortes

1. On appelle *Ritu-snata* la femme qui, le quatrième jour, s'est baignée et purifiée.

de *Priti,* ou lien d'amour unissant les hommes et les femmes :

1° *Naisargiki-priti* est cette affection naturelle qui rive l'époux à l'épouse comme les anneaux d'une chaîne métallique. C'est l'amitié entre personnes honnêtes des deux sexes.

2° *Vishaya-priti* est la tendresse née chez la femme et accrue par des présents, tels que sucreries et friandises, fleurs, parfums, préparations de bois de santal, musc, safran, etc. Il y entre, comme on le voit, de la gourmandise, de la sensualité et de la luxure.

3° *Sama-priti* est aussi, jusqu'à un certain degré, sensuel, puisqu'il consiste dans un désir de jouissance également urgent chez le mari et chez la femme.

4° *Abhyasiki-priti* est l'amour habituel entretenu par la société conjugale : il se manifeste par des promenades dans les champs, les jardins et autres lieux semblables; par l'assistance en commun aux cérémonies religieuses, la pratique commune des pénitences et autres dévotions; par la fréquentation des assemblées, des spectacles et des réunions où l'on danse, où l'on fait de la musique, etc.

Et, de plus, il est à noter que, les désirs de la femme étant plus froids[1] et plus lents

---

1. Ceci est l'opinion hindoue : les Musulmans sont d'avis que les désirs de la femme sont dix fois plus forts que ceux de l'homme. Les uns et les autres ont raison dans certains cas; par exemple, le mâle est plus fort dans les climats secs, la femelle dans les climats humides et déprimants.

à s'éveiller que ceux de l'homme, un seul acte de congrès peut malaisément la satisfaire; ses facultés plus faibles d'excitation réclament des embrassements prolongés, et s'ils lui sont refusés, elle en éprouve du chagrin. Mais, au second acte, ses passions se trouvant tout à fait excitées, l'orgasme est chez elle plus violent, et elle est pleinement satisfaite. Cet état de choses est juste le contraire de ce qui se passe chez l'homme : celui-ci, en effet, tout feu et flamme dans le premier acte, se refroidit dans le second et languit ensuite, sans disposition pour le troisième. De ceci, toutefois, le sage ne conclut pas que les désirs de la femme, aussi longtemps qu'elle est jeune et bien portante, sont, en réalité, moins forts et moins pressants que ceux de l'homme. Les convenances sociales et la pudeur naturelle à son sexe peuvent les lui faire cacher, lui faire dire même qu'elle ne les ressent pas : tout ce manège ne trompe jamais l'homme qui a étudié l'Art d'Amour.

Et ici, il est nécessaire de donner quelque description du Yoni; il est de quatre sortes :

1. Celui qui est soyeux à l'intérieur comme les filaments (le pollen?) de la fleur de lotus; c'est le meilleur.

2. Celui dont la surface est semée de petits grains de chair et autres semblables élevures.

3. Celui qui abonde en plis, rides et rugosités.

4. Enfin, celui qui est rude comme la langue d'une vache; c'est le pire.

En outre, il y a dans le Yoni une artère appelée *Saspanda,* laquelle correspond avec celle du Lingam, et qui, lorsqu'elle est excitée par la présence et l'action énergique de celui-ci, fait jaillir le Kama-salila. Cette artère se trouve en dedans et dans la direction du nombril; elle est attachée à de certaines aspérités (épines), qui sont particulièrement propres à produire le paroxysme lorsqu'elles sont soumises à une friction. Le *Madana-chatra* (clitoris)[1], à la partie supérieure du Yoni, est cet organe qui fait saillie comme un jet de plantain sortant du sol; il est relié à l'artère *Mada-vahi* (spermatique) et provoque l'émission du sperme. Enfin, il y a une artère, nommée *Purna-chandra,* qui est pleine de Kama-salila et à laquelle les savants attribuaient autrefois le flux menstruel.

1. Le *fons et scaturigo Veneris* des Classiques. On voit que les Hindous, comme les anciens médecins en Europe, croyaient le Kama-salila des femmes en tout pareil à celui des hommes; il fallait le microscope pour reconnaître l'existence des spermatozoaires dans un sexe seulement.

CHAPITRE V

Caractéristiques des femmes des différents pays

APRÈS AVOIR divisé les femmes en différentes classes, il importe de les considérer par rapport aux pays qu'elles habitent. On se bornera, dans ces remarques, à l'*Arya-vartta,* la *Terre des Hommes,* bornée par l'*Himalaya* (maison de neige) et les *Monts Vindhya,* le *Kourou-Ksetra* et *Allahabad.* Et d'abord il sera question des femmes du *Madhya-desha,* pays situé entre le *Konkan* et le *Desha* proprement dit, dont les villes principales sont *Pounah, Nasik* et *Kolapour.*

La femme de la *Région Moyenne* a les ongles rouges, mais son corps l'est encore plus. Elle s'habille bien et avec variété. C'est une excellente ménagère, rompue au travail manuel et très exacte aux cérémonies religieuses. Quoique prodigieusement passionnée pour les exercices d'amour, dont elle s'acquitte au mieux, elle répugne aux jeux d'ongles et de dents (égratignure et morsure).

La femme *Marou (Malwa)* veut être besognée tous les jours : c'est bien l'affaire de ceux qui aiment un congrès prolongé. On ne la satisfait que par des embrassements, dont elle n'est jamais rassasiée; et, dans certains cas, il faut l'attouchement des doigts pour amener chez elle le paroxysme.

La femme de *Mathra,* pays de *Krishna,* aussi appelé *Abhira-deshra,* la *Terre des Vaches,* raffole de certaines sortes de baiser. Elle aime les embrassements, si étroits soient-ils, mais ne veut ni des dents ni des ongles.

La femme de *Lata-desha (Lar* ou *Larice* des Classiques), partie septentrionale du *Dakhan (Deccan),* est délicate et jolie. Elle danse de joie quand on lui propose le congrès, et, pendant l'acte, elle a des soubresauts de plaisir fréquents et violents. Elle va vite en besogne : enfilez-la gentiment et patinez-la, mordez-lui doucement les lèvres, c'en est assez pour qu'elle éprouve l'orgasme vénérien.

La femme d'*Andhra-desha (Telangana)* est si fascinante, qu'elle charme l'étranger à première vue; sa voix est aussi douce que son corps est gracieux. Elle se délecte au déduit, aux ébats lascifs : étrangère, d'ailleurs, à toute honte et l'une des plus vicieuses de son sexe.

La femme de *Koshalarashtra-desha (Oude)* est très habile dans le congrès. Elle souffre continuellement d'un prurit et d'une titillation du Yoni, qui lui font désirer des embrassements prolongés; mais on ne peut la satisfaire qu'avec un Lingam exceptionnellement vigoureux.

La femme de *Maharashtra* (pays de *Maratha)* et de *Patalaputa-desha* aime les œillades amoureuses, les beaux habits, les parures, les parties fines, les promenades. Toujours souriant avec grâce, enjouée, de bonne humeur, toujours prête aux badinages et au déduit, elle est quelque peu dépourvue de pudeur. Passionnée et coquette, elle n'a point de rivale au jeu d'amour.

La femme de *Vanga (Bengale)* et de *Gaura* a le corps doux et délicat comme une fleur; elle est coquette et volage : elle se délecte aux baisers, aux embrassements; mais elle a horreur d'être manipulée grossièrement ou brutalement, et elle a peu de goût pour le congrès.

La femme d'*Utkala-desha (Orissa)* est si belle, qu'à première vue l'homme s'en éprend; sa voix est douce autant que son corps est délicat. Libre de mœurs et licencieuse, elle a peu de retenue quand il s'agit d'amour; elle devient alors violente, inquiète, tout feu et flamme; elle se complaît, pour varier le plaisir, à des postures de divers genres, notamment à la position renversée, c'est-à-dire l'amant sous la maîtresse; facile à satisfaire du reste, rien qu'à lui passer les doigts sur les seins.

La femme de *Kamarupa-desha (Assam occidental)* a le corps et la voix doux; elle est passionnée et experte en l'art d'amour. Pendant le congrès, son Kama-salila jaillit abondamment.

Les *Vana-stri,* ou femmes des forêts (de la tribu des *Bhills* ou autres groupes montagnards), ont des corps robustes et de fortes santés. Tout en cachant leurs propres défauts, leurs vices, leurs fautes et leurs folies, elles se plaisent à divulguer ceux des autres.

La femme de *Gurjara-desha (Guzerate)* est sage et sensée. Elle a de beaux traits, et des yeux bien proportionnés; elle aime les beaux habits, les parures, et quoique ardente et passionnée pour les plaisirs de l'amour, un congrès de courte durée la satisfait aisément.

La femme de *Sindhou-desha (Sind),* d'*Avanti-desha (Pendjab* ou *Oujein)* et de *Balhika-desha (Bahavolpour)* a des yeux vifs, qui lancent de côté des traits amoureux. Elle est volage, irascible et vicieuse, avec des désirs si impétueux et si ardents, qu'elle est fort difficile à satisfaire.

La femme de *Tirotpatna* (ou *Tira-desha, Tirhout,* dans l'Asie Centrale) a les yeux éclatants comme les fleurs du lac; elle aime éperdument son mari et il suffit d'un regard pour enflammer sa passion. Elle est particulièrement habile au congrès, aimant à varier ses façons et figures; et, à cause de sa délicatesse, elle ne peut souffrir des embrassements brutaux ou trop prolongés.

La femme de *Pushpapoura,* ou *Madra-desha* (partie nord-ouest de l'*Hindoustan* proprement dit) et du *Tailanga-desha (Inde méridionale),* bien qu'experte en l'art d'amour, est modeste et n'a de commerce qu'avec son mari. Sa forme de passion est le *Chanda-vega,* et son érotisme est excessif : elle emploie, pour stimulant de jouissance, le *Nakhara,* l'égratignure, la morsure et autres procédés lascifs.

La femme de *Dravia-desha* (pays de *Coromandel,* de Madras au cap Comorin), de *Sauvira* et de *Malaya-desha (Malayalim)* a le corps et les membres bien proportionnés; sa taille est gracieuse et délicate, sa voix douce; elle aime les beaux vêtements, les parures, et se contente d'un congrès de courte durée : impudente d'ailleurs, éhontée et d'une nature foncièrement vicieuse.

La femme de *Kanboj (Cambodge)* et de *Paundra-desha* est grande, robuste, portée au vice; elle ignore, dans le congrès, les accompagnements de coups d'ongles et de dents : ce qu'il lui faut uniquement, c'est la violente application d'un solide Lingam.

Les femmes des *Mlenchchhas* (races mêlées, ne parlant pas le sanscrit comme les Hindous), de *Parvata,* de *Gandhara* et de *Kashmir (Cachemire)* se distinguent par une mauvaise odeur du corps. Elles ignorent complètement les badinages et caresses d'amour, les baisers, les embrassements; froides pour le congrès, de courtes étreintes leur suffisent.

C'est seulement par l'expérience de ces femmes dans les différents pays que l'homme sage apprend à les classer suivant leurs caractéristiques; à discerner les *Chandrakalas,* ou attouchements préparatoires, qui conviennent le mieux aux races comme aux individus, et à se concilier ainsi la faveur du sexe féminin.

CHAPITRE VI

Des médecines utiles, Prayogas *(applications externes), prescriptions, recettes, remèdes, cosmétiques, charmes, magie, onguents et sorts.*

On trouvera ci-après l'indication des drogues et simples, recettes et prescriptions les plus utiles, que nous ont léguées les savants pour le bien-être des gens mariés et pour le bénéfice du monde. Aussi bien sont-ils nombreux, les ignorants dont l'épaisse intelligence ne peut pénétrer dans les délicatesses et susceptibilités des classes, des tempéraments, des *Chandrakalas* et autres excitants, et ils feront bien de s'en remettre à l'expérience des sages. Ce livre a été composé pour leur plaisir et leur profit. Il est, par exemple, de toute évidence que si, à défaut de certain acte ou de certain artifice, l'orgasme vénérien de la femelle, dont le sang est plus froid et qui est moins facilement excitable, ne précède pas expressément celui du mâle, le congrès aura été vain, le travail de l'homme n'aura produit rien de bon, et la femme ne sera nullement satisfaite. De là résulte que l'un des principaux devoirs de l'homme, dans cette vie, est d'apprendre à se retenir le plus possible, et, en même temps, à hâter la jouissance de la femme.

Premier Prayoga (application externe) [1]

Prenez du *Shopa* ou graine d'anis (en hindoustani, *Sam*, *anethum sowa* ou *pimpinella anisium)*, réduit à une poudre impalpable; colorez-le et faites-en un électuaire avec du miel. En appliquant cette préparation au Lingam avant le congrès, de telle sorte qu'il pénètre aussi profondément que possible, vous produirez chez la femme le paroxysme vénérien et la soumettrez à votre pouvoir.

---

1. Les prescriptions qui vont suivre n'indiquent pas de proportions. Il est entendu que, pour les applications externes, la quantité requise est du quart d'un *Tola*, à moins qu'il n'en soit autrement spécifié; tandis que, pour les remèdes pris intérieurement, elle est toujours d'un *Tola* entier.

1 *Masha*	=	15 grains	=	1/12 de *Tola*.
1/4 *Tola*	=	45 grains	=	2 scrupules 5 grains.
3/4 *Tola*	=	2 drachmes	=	120 grains.
1 *Tola*	=	3 drachmes	=	180 grains.

Deuxième Prayoga

Prenez de la graine mondée de *Rui* (asclépiade gigantesque, *Asclepias* ou *Callotropis gigantea)*[1], broyez et pilez dans un mortier avec des feuilles de *Jai (jasminum auriculatum,* jasmin double à grande fleur) jusqu'à ce que le suc en soit exprimé; colorez, et appliquez comme ci-dessus.

Troisième Prayoga

Prenez le fruit du *Tamarinier (tamarinda indica),* broyez dans un mortier avec du miel et du *Sindura* (plomb rouge, minium, cinabre ou sulfure rouge de mercure), et appliquez comme ci-dessus.

Quatrième Prayoga

Prenez parties égales *(sama-bhaga)* de camphre, *Tankan (tincal,* ou borax brut, vulgairement appelé *Tankan-khar),* et de vif-argent purifié[2]; broyez avec du miel et appliquez comme ci-dessus.

---

1. D'autres traduisent *Rui* par herbe à cochon *(Boerbavia alata diffusa).*

2. Le lecteur est fortement invité à se tenir en garde contre cette prescription et contre toute autre où il est question de mercure.

Cinquième Prayoga

Prenez parties égales de miel, *Ghi* (beurre fondu ou clarifié), de borax brut, comme précédemment, et de suc de feuilles d'*Agasta (Æschynomene grandiflora)* ; pilez, et appliquez comme dessus.

Sixième Prayoga

Prenez parties égales de vieux *Gur* (aussi appelé *Jagri,* mélasse ou sirop de sucre épaissi par l'ébullition), de fève de tamarin et de poudre d'anis; liez avec du miel, et appliquez comme dessus.

Septième Prayoga

Prenez des grains de poivre noir, des pépins de pomme épineuse *(dhatura* ou *dhotara, datura stramonium),* une gousse de *Pinpalli (piper longum,* donnant le poivre long, ou encore le poivre à bétel), et de l'écorce de *Lodhra (symplocos racemosa* (?), ou *morinda citrifolia,* dont on se sert dans la teinture (?)); broyez avec du miel blanc et employez comme dessus. Cette médecine est souveraine.

Ici finissent les prescriptions pour hâter le paroxysme de la femme et commencent celles qui ont pour but de retarder l'orgasme de l'homme. Lorsque celui-ci arrive trop tôt, le congrès laisse les désirs non satisfaits; en conséquence, prenant en pitié la faiblesse de l'humaine nature, les Sages ont recommandé les recettes ci-après[1].

Premier Prayoga

Prenez de la racine de *Lajjalu* ou plante sensitive *(mimosa pudica)*, pulvérisez dans du lait de vache, ou, à défaut, dans le suc épais du *Panjadhari-nivarung*, la plante laiteuse à fines arêtes *(euphorbia pentagonia)*. Si, avant le congrès, l'homme s'applique cette composition sur la plante des pieds, ses embrassements seront très prolongés par la rétention de la liqueur vitale.

Deuxième Prayoga

Prenez de la racine pulvérisée de *Rui* (asclépiade gigantesque), liez avec de l'huile de carthame *(Kardai, carthamus tinctorius)*, et appliquez comme dessus.

---

1. Ce procédé est connu dans la médecine arabe sous le nom d'*Imsak*, qui signifie *garde* ou *rétention*. On peut affirmer, sans crainte d'erreur, que presque tous les livres de la pharmacopée orientale sont à moitié consacrés aux aphrodisiaques, l'autre moitié ayant pour objet l'*imsak*. Les Européens, qui ignorent l'art et la pratique, sont dédaigneusement comparés par les femmes hindoues aux coqs de village : aussi n'y a-t-il pas d'exemple qu'une fille indigène ait jamais réellement aimé un étranger.

Troisième Prayoga

Prenez de la racine de *Kang* ou panic blanc *(panicum italicum)* et des filaments (pollen ?) de fleurs de lotus, pulvérisez dans du miel, et appliquez comme dessus.

Quatrième Prayoga

Prenez parties égales d'écorce de *Shishu* (l'arbre au bois noir, *dalbergia sissoo),* de camphre et de vif-argent purifié ; pilez comme dessus et appliquez-vous cela sur le nombril.

Cinquième Prayoga

Si l'on recueille les graines du *Tal-makhana* blanc *(barleria longifolia,* herbe médicinale) à l'époque du *Pushya-nakshatra,* ou huitième résidence lunaire [1], correspondant à une partie de décembre et de janvier, et qu'on se les enroule autour de la taille avec un cordon de fil rouge, on obtiendra l'effet désiré.

---

1. Voici une liste utile des vingt-sept *Nakshatras,* résidences de la Lune, ou astérismes dans sa rotation :

1. *Ashvini,* jument
2. *Bharana,* plénitude ou satisfaction.
3. *Krittika,* les Pléiades.
4. *Rohini,* chose légère ; une fille de neuf ans.
5. *Mriga,* une biche, une bête quelconque ; la pluie qui tombe durant l'astérisme.
6. *Ardra,* humidité.
7. *Punarwasu,* autrement

Sixième Prayoga

Après avoir invoqué, un samedi, le *Saptaparna (echides scholaris,* ou *scholaris* à sept feuilles), prenez-le le dimanche et mettez-le-vous dans la bouche; vous obtiendrez l'effet désiré.

Septième Prayoga

Recueillez les graines de l'*Anvalli* blanc (myrobolan emblic) dans le *Pushya-nakshatra,* lorsqu'il arrive à tomber un dimanche, et attachez-les-vous autour de la taille avec un fil tressé par une vierge : vous obtiendrez l'effet désiré.

Torlakunwar, grand fils, c'est-à-dire un garçon âgé.
8. *Pushya* (autrement le mois *Posh),* appelé par quelques-uns *Tarna.*
9. *Ashlesha,* embrassement.
10. *Magha.*
11. *Purvaphalguna.*
12. *Uttarphalguna,* le nord.
13. *Hasta,* la main.
14. *Chittra.*
15. *Svati,* solitaire; autrement l'étoile *Arcturus.*
16. *Vishakha.*
17. *Anuradha.*
18. *Jyeshtha.*
19. *Mula,* racine, base, origine, premier ancêtre; un enfant.
20. *Purvashaha.*
21. *Uttarashaha.*
22. *Shrivan,* l'ouïe, ou l'organe de l'ouïe.
23. *Dhanishta.*
24. *Shata-taraka,* qui contient cent étoiles.
25. *Purvabhadrapada.*
26. *Uttarabhadrapada.*
27. *Revati,* la femme de *Balaram;* autrement, sorte de *Chumbeli* ou fleur de jasmin.

Pour plus de détails concernant les *Nakshatras,* voy. Appendice I.

Huitième Prayoga

Prenez les graines du *Tal-makhana* blanc qui auront été macérées dans la sève de l'arbre *Banyan (ficus indica)*, mêlez-y des graines de *Karanj (galedupa arborea)*, et mettez-vous cela dans la bouche : vous aurez le même résultat.

Ici finissent les prescriptions pour retarder l'orgasme de l'homme, et commencent les *Vajikarana* (aphrodisiaques)[1], découverts par les anciens Sages, pour restaurer la force et la vigueur physiques. Les recettes données plus haut sont évidemment de nul effet sur une personne impuissante ou très faible; il est donc nécessaire de connaître les remèdes qui réconfortent le cœur et excitent les désirs, tout en donnant le pouvoir de les satisfaire[2].

Premier Vajikarana

Après avoir exposé le suc du *Bhuya-Kohali (solanum Jacquini*, plante épineuse) au soleil

1. *Vaji* est un cheval, *karan* signifie *faire;* s'entend de l'excitation à la luxure au moyen de charmes.

2. Beaucoup de traités orientaux divisent les aphrodisiaques en deux classes différentes : 1° les mécaniques ou externes, telles que la scarification, la flagellation, etc., et 2° les médicinales, ou artificielles. Au nombre des premières est l'application d'insectes, pratiquée par quelques races sauvages; tous les orientalistes connaissent l'histoire du vieux Brahmane, dont la jeune femme insistait pour que son *pudendum* fût encore une fois piqué par une guêpe.

jusqu'à dessiccation, mêlez-y du beurre clarifié, du sucre candi et du miel. Cette prescription rend la force à dix hommes, et permet à un seul de contenter dix femmes.

Deuxième Vajikarana

Prenez l'écorce de l'*Anvalli* (le myrobolan emblic, noix astringente, *phyllanthus emblica)*, extrayez-en la sève, exposez-la au soleil jusqu'à dessiccation, mêlez avec de la poudre du même arbre et, avant le congrès, mangez cette poudre avec du beurre clarifié, du sucre candi et du miel : il en résultera un prodigieux développement; un vieillard même redeviendra jeune homme.

Troisième Vajikarana

Prenez de la poudre de *Kuili (dolichos pruriens)*, de *Kanta-gokhru* (herse ou tribule, *tribulus lanuginosus)*, de *Kakri* ou concombre, de *Chikana (hedysarum lagopodioides)*, de *Lechi* et de *Laghu-shatavari (asparagus racemosus)*; mêlez tout cela en parties égales avec du lait : le patient recouvrera aussitôt sang et vigueur.

Quatrième Vajikarana

Trempez des grains d'*Urid (phaseolus radiata,* ou *phaseolus mungo)* dans du lait et du sucre, et exposez-les durant trois jours au soleil;

réduisez-les en poudre, pétrissez en forme de gâteau, faites frire dans du beurre clarifié, et mangez-en chaque matin : le patient, si âgé qu'il soit, regagnera une extrême vigueur et pourra jouir de cent femmes.

Cinquième Vajikarana

Prenez dix *mashas* (cent cinquante grains) de l'écorce intérieure de l'arbre *Moh (bassia latifolia,* dont les fleurs contiennent une liqueur spiritueuse bien connue), pilez dans un mortier, et buvez avec cela du lait de vache : l'effet sera le même que précédemment.

Sixième Vajikarana

Prenez de la graine de *Tal-makhana* blanc et de *Deva-bhat* (riz sauvage, qui croît près des réservoirs et dans les marais), de chacune dix *mashas,* mêlez avec un poids égal de miel, et mangez le soir; l'effet sera le même que ci-dessus.

Septième Vajikarana

Mêlez parties égales de suc de *Kante-shevati (rosa glandulifera)* exprimé des feuilles, et de beurre clarifié, faites bouillir avec dix parties de lait, sucre et miel, buvez-en habituellement, et vous en obtiendrez une grande vigueur de reins.

Huitième Vajikarana

Prenez du *Loha-bhasma* (préparation d'oxyde de fer), de la poudre de *Triphala* (littéralement *les trois myrobolans,* c'est-à-dire le myrobolan jaune ou chébule, *terminalia chebula,* le myrobolan belleric ou *terminalia belerica,* et le myrobolan emblic ou *pyllanthus emblica)* et du jus de réglisse; mêlez avec du beurre clarifié et du miel et prenez-en chaque jour au coucher du soleil : le résultat sera une salacité de moineau. Le moineau, comme on sait, jouit des femelles des dix et vingt fois de suite.

Ici finissent les remèdes qui réconfortent le cœur et excitent les désirs. Mais si le Lingam est mou ou petit, il est tout à fait incapable de contenter la femme et de lui faire aimer et respecter son mari. De là nécessité d'autres recettes pour renforcer et grandir ce membre, en le rendant solide et fort, dur et vigoureux.

Premier Prayoga

Prenez quantités égales de *Chikana (hedysarum lagopodioides*), de *Lechi*, de *Kosth (costus speciosus* ou *arabicus)*, de *Verkhand* (racine d'iris), de *Gajapimpali (pothos officinalis)*, d'*Askhand (physalis flexuosa)* en bâtons, et de *Kanher-root* (oléandre, *nerium odorum*), pilez et mêlez avec du beurre; appliquez cette composition sur l'organe, et au bout de deux *ghari* (quarante-huit minutes) il atteindra la grandeur d'un membre de cheval[1].

Deuxième Prayoga

Prenez parties égales de *Rakta-bol* en poudre (myrrhe, ainsi appelée parce qu'elle augmente le sang)[2], de *Manashil* (sulfure rouge d'arsenic), de *Costus arabicus*, d'anis[3] et de borax; mélangez dans de l'huile de sésame orientale, oignez le membre, et l'éréthisme désiré se produira.

Troisième Prayoga

Prenez parties égales de *Saindhava* (sel de roche), de poivre, de costus, de *Ringani-root* (solanum épineux), de filaments d'*Aghara*

---

1. Les Chinois ont certainement un secret de ce genre : c'est une petite pilule couleur de rhubarbe, enfermée dans une capsule de cire, et composée de matières végétales, ainsi que l'ont démontré de nombreuses analyses. Dissoute dans l'eau chaude et appliquée sur l'organe, elle produit une formication suivie d'une irritation intense, dont l'effet est d'augmenter notablement les proportions du membre en y portant une quantité anormale de sang.

2. La myrrhe, une gomme inestimable que nous avons le tort de négliger, paraît être, dans les pharmacopées hindoues et arabes, une sorte de remède universel. C'est ainsi que, vers l'an 1500, nos livres de médecine préconisaient une panacée pour toutes les maladies.

3. D'autres disent *Karvi-Dorki*, le fruit du *cucumis acutangulus* ou *sulcatus*.

(achyranthes aspera), d'*Askhand (physalis flexuosa)*, d'orge, d'*Urid (phaseolus mungo)*, de poivre long, de *Shyras* blanc (sorte de moutarde), et de *Til (Jingilee* ou sésame); broyez, mêlez avec du miel et appliquez sur la bordure extérieure de l'oreille. Ce médicament produit un grossissement énorme, et si on l'applique sur une femme, il lui fera gonfler les seins.

Quatrième Prayoga

Prenez des *Bibva* (sorte de noix, *semicarpus anacardium)*, du sel noir[1], et des feuilles de fleur de lotus, réduisez le tout en cendres et trempez dans le suc du solanum épineux *(solanum Jacquini)*; oignez-vous ensuite le Lingam avec des excréments de *Mahishi* ou bufflonne, et appliquez-y les cendres. Il grossira immédiatement, et deviendra aussi fort que le pilon de bois dont on se sert pour broyer le riz. Cette prescription est renommée comme très efficace.

Cinquième Prayoga

Mélangez de l'écorce de *Lodra (symplocos racemosa? morinda citrifolia?)*, de l'*Hirakas*

1. Ce « sel noir » s'obtient en infusant l'article fossile dans de l'eau avec des myrobolans emblics; c'est un tonique bien connu, qu'on emploie aussi, dans de certaines proportions, comme apéritif.

(couperose, vitriol vert ou sulfate de fer); du *Gajapimpali (pothos officinalis)*, et du *Chikana (hedysarum lagopodioides)* avec du *Til* ou huile de sésame, et appliquez cela au Lingam : il grandira aussitôt. Employée par une femme, cette composition lui fera gonfler les lèvres du Yoni.

Sixième Prayoga

Mélangez le fruit du *Dorli (solanum macrorrhizon)*, des noix *(semicarpus anacardium)* et de l'écorce de grenade avec de l'huile amère (de moutarde, *sinapis dichotoma*, employée principalement pour brûler), et appliquez sur l'organe : il deviendra beaucoup plus gros.

Ici finissent les recettes pour augmenter la longueur et la grosseur du Lingam; ensuite, viennent les procédés inverses pour le rétrécissement et la clôture du Yoni. A mesure que les femmes avancent en âge, et surtout après l'enfantement, il se produit chez elles un certain élargissement, suivi de mollesse et de flaccidité de l'organe. De là nécessité de prescriptions pour le rétrécir et le raffermir, de manière à augmenter la jouissance du mari, spécialement lorsqu'il est à la fleur de l'âge.

Première prescription

Prenez du lotus, tige ou fleur, pilez dans du lait, pétrissez en petites boulettes et introduisez dans le Yoni : la femme, eût-elle cinquante ans, redeviendra comme vierge.

Deuxième prescription

Prenez un morceau d'écorce de sapin *(pinus deodaru)* et broyez-le avec du curcuma, avec du *Daruhalad* (zédoaire) et avec des filaments (pollen?) de fleur de lotus; appliquez intérieurement : il en résultera une grande constriction des tissus.

Troisième prescription

Prenez de la graine en poudre de *Talmakhana,* avec du suc de la même graine, et frottez-en le Yoni, en dedans et au-dehors : le raffermissement sera instantané.

Quatrième prescription

Pilez ensemble quantités égales de *Triphala* (les trois myrobolans ci-dessus spécifiés), de fleur de *Dhavati (grislea tomentosa),* de cœur de *Jambhuli* (pommier rose) et de *Sanvari* (cotonnier soyeux, *bombax heptaphyllum)* avec du miel; introduisez cela dans le Yoni, et il paraîtra comme celui d'une femme qui n'a jamais été mariée.

Cinquième prescription

Pilez ensemble des graines de *Karu-bhonpali* (potiron blanc amer, *cucurbita lagenaria)* et de l'écorce de *Lhodra (symplocos racemosa? morinda citrofolia?),* introduisez dans le Yoni, et le creux qui se produit après l'enfantement sera aussitôt comblé.

Sixième prescription

Prenez des jets d'*Askhand,* de *Chikana,* d'*Onva* (ou *Ajvini,* sorte d'aneth ou d'ammi), du zédoaire, du lotus bleu, du costus et du *Vala,* ou du *Khaskhas (andropogon muricata)*; mêlez en parties égales, pilez dans de l'eau et appliquez chaque jour à l'intérieur : il en résultera une constriction très satisfaisante.

Septième prescription

Prenez le sel produit par l'ébullition et la vaporisation de l'écorce de *Moh (bassia latifolia),* mêlez avec du miel, et introduisez en guise de suppositoire dans le Yoni, que vous remplirez jusqu'aux lèvres chaque jour : il en sera comme tanné[1].

---

1. Ce procédé de contraction est universellement usité dans l'Inde. Les Européens qui, en général, n'ont affaire qu'à des prostituées, s'imaginent que les femmes emploient le *Chunam,* ou chaux éteinte. C'est une erreur vulgaire : le constricteur le plus commun est une infusion d'écorce astringente, renforcée quelquefois avec de l'alun.

Ici finissent les recettes pour contracter et raffermir le Yoni; mais cette partie requiert une autre sorte de traitement, et il sera nécessaire de donner une variété de recettes détachées. Elles ont pour but de faire disparaître certains défauts et de les remplacer par de bonnes qualités. Et d'abord voici deux recettes à l'effet de parfumer l'organe[1] :

Première recette

Prenez de l'huile de *Shiras* (sorte de moutarde) et de l'extrait de *Jai* ou fleur de jasmin; faites-les chauffer ensemble sur un feu doux, et appliquez-vous cela intérieurement chaque jour. Vous n'aurez rien à craindre de désagréable pendant ni après le congrès.

Seconde recette

Prenez un morceau de sapin *(pinus deodaru)*, de l'huile de sésame, du *Shegwa*, ou cranson rustique *(guilandina moringa)*, de l'écorce de grenade, de l'écorce de *Nim* amer (lilas perse, *melia azadirachta indica)*, et des fleurs de *Champak* jaune *(michelia champaca)*; extrayez l'huile, et appliquez intérieurement : vous aurez même résultat.

---

1. Chez les sauvages de l'Afrique, les femmes ont recours à des fumigations de gommes odorantes jetées sur du feu, au-dessus duquel elles se tiennent.

Les trois recettes suivantes ont la vertu de détruire les poils qui se trouvent sur le corps[1] :

Première recette

Mettez de l'oxyde de fer en poudre dans de l'huile amère; exposez au soleil pendant sept jours et appliquez à la « maison de Smara[2] » : tout le poil disparaîtra.

Deuxième recette

Mettez des coquillages calcinés et pulvérisés[3] dans du suc de bananier *(musa paradisiaca* et *Sapientum)*; tenez-les au soleil pendant sept jours, et mêlez avec un peu de *Harital* (orpiment, arsenic jaune, ou sulfure d'arsenic); appliquez ensuite au Yoni, et tout le poil disparaîtra.

---

1. Rien n'est considéré, en Orient, comme plus impur que la présence de ces poils sur le corps; les hommes les enlèvent avec le rasoir, et les femmes avec divers épilatoires, communément de la chaux vive mêlée d'orpiment en certaine proportion. Les sauvages des tropiques eux-mêmes ont adopté cette coutume, indispensable pour la propreté. L'inspection au microscope d'un poil du pubis ou des aisselles justifie pleinement cette pratique pour les régions équatoriales.

2. Dans l'original, « Smaralaya », de *Smara,* « ressouvenir », un des titres de Kamadeva, et *Alaya,* « maison », comme dans *Himalaya.*

3. Suivant d'autres, *Shankha-Bhasma,* du texte, est un oxyde métallique. Entendu littéralement, il signifierait : chaux à mélanger avec de l'orpiment.

Troisième recette

En pulvérisant, dans du suc de bananier, du *Harital* et des cendres de *Palasha (butea frondosa)*, vous arrêterez à tout jamais la croissance du poil sur la partie où vous aurez appliqué cette composition[1].

Lorsque le flux menstruel se trouve subitement arrêté, par accident ou par maladie, il en résulte de grands maux. C'est pour les combattre que les Sages ont recommandé les remèdes ci-après :

Premier remède

La femme qui fera macérer dans l'eau les feuilles tombées du *Pingavi,* ou *Karad-kangoni* (sorte d'arbrisseau grimpant, pois de senteur, *celastrus paniculata)* et les fleurs du *Jasvad,* sera bientôt, si elle en boit quelque temps, rendue à son état normal.

---

1. Les grands parfumeurs du monde civilisé se refusent invariablement à recommander un épilatoire; il est aisé de comprendre que le poil ne peut être radicalement détruit sans qu'on arrache le bulbe, c'est-à-dire sans excorier la partie, opération douloureuse que pratiquent systématiquement plusieurs races sauvages et barbares. On doit prendre de grandes précautions en faisant usage d'épilatoires contenant de l'orpiment, un poison actif qu'une égratignure ou une écorchure peuvent répandre dans l'économie; il faut aussi ajouter une proportion de chaux normale (et non telle quelle, comme dans le texte) : autrement la peau resterait marquée, ou même brûlée.

Second remède

Prenez, en égales quantités, du *Tandul* (riz)[1], du *Durva* (agrostide, *agrestis linearis,* le gazon bien connu consacré à Ganesha) et du bois de sapin *(pinus deodaru),* réduisez en poudre, mêlez avec de l'eau et buvez.

Si, au contraire, il s'agit de restreindre des menstrues immodérées, les remèdes efficaces seront les suivants :

Premier remède

Prenez parties égales de *Hirada-dal* (écorce de myrobolans jaunes ou chébules), d'écorce de *Nim* amer[2] et d'*Anwal-kathi* (myrobolans secs), pilez, mêlez avec de l'eau et buvez pendant cinq jours de suite : l'effet désiré se produira.

Second remède

Prenez, en parties égales, du jus de *Kapithya* (pomme à éléphant, pomme de bois ou *feronia)* et du jus de *Chiva* (petit bambou),

1. D'autres lisent *Tandulja,* sorte de légume comestible.

2. D'autres lisent *Rasawati.* On prépare ce collyre en faisant bouillir ensemble de la chaux de cuivre jaune et un huitième de *Daru-haldi (curcuma xanthorrhizon),* en ajoutant à la décoction une égale quantité de lait de chèvre et en aissant réduire ou évaporer jusqu'au quart.

et buvez-en mêlé avec du miel : vous trouverez cette potion également efficace.

Les prescriptions suivantes sont inappréciables pour concevoir et devenir enceinte, mais le champ (utérus) doit être préalablement et dûment purifié en observant celle-ci :

Prescription[1]

Mêlez de l'oxyde de fer avec de l'or et du cuivre calcinés, et faites-en un électuaire avec du miel; puis mangez-en depuis le quatrième jour (époque du bain et de la purification) jusqu'au sixième jour après le flux menstruel, et le champ sera dûment nettoyé.

Ceci fait, la femme se trouvera bien des prescriptions suivantes :

Première prescription

Prenez des bourgeons pulvérisés de *Nagakesar* (petite casse, *mesua ferrea)*, mêlez avec

1. Les peuples de l'Hindoustan, musulmans aussi bien qu'hindous, ont des milliers d'élixirs et de spécifiques pour produire la grossesse. Ils sont surtout en faveur dans les harems des riches, où les excès vénériens et autres maux qui accompagnent l'opulence font du manque de progéniture la grande misère de la vie humaine. Un fils, un héritier est absolument indispensable au Rajah ou à l'Émir, qui seront toujours prêts à payer d'énormes sommes à une armée d'empiriques et de charlatans.

du beurre clarifié, et mangez pendant trois jours consécutifs après le quatrième jour; en même temps, abstenez-vous de toute autre nourriture que de *Dughdanu,* c'est-à-dire mangez tout avec du lait : le prochain congrès aura un résultat.

Deuxième prescription

Prenez une décoction d'*Askhand (physalis flexuosa),* de *Gulvel (menispermum glabrum? cocculus cordifolius?)* et de la résine appelée *Laghu-Ral,* et buvez le quatrième jour.

Troisième prescription

Prenez de la racine de *Jaswand,* que votre mari aura cueillie durant le *Pushya-Nakshatra;* mangez-en avec du miel, et observez en même temps la diète de lait.

Quatrième prescription

Raclez dans du lait de la racine de *Mahalung* (citron commun); faites bouillir longtemps et mettez-y du beurre clarifié; vous boirez cela trois jours après le flux menstruel.

Cinquième prescription

Prenez de la racine de *Chikana* blanc, qui aura été cueillie durant le *Pushya-Nakshatra,* et mélangez avec dix *mashas* de la même racine pilée, avec partie égale de racine de réglisse en poudre et quarante *mashas* de sucre candi : vous boirez cela, après le flux menstruel, dans le lait d'une vache qui aura mis bas un veau mâle d'une seule couleur. Le jour où vous prendrez cette médecine, vous devrez vous abstenir de tout autre aliment, et le jour qui suivra le congrès opéré de nuit avec votre mari, vous vous en tiendrez au riz et au lait.

Sixième prescription

La femme qui boira habituellement, dans du lait de vache, des parties égales de gingembre sec en poudre, de poivre, de poivre long, de solanum épineux *(solanum Jacquini)* et de bourgeons de casse, concevra et enfantera un fils, si longtemps stérile qu'elle ait pu être.

Ici finissent les médecines qui ont pour effet la grossesse. Mais ce n'est pas assez que la femme devienne grosse : il faut aussi la protéger contre les fausses couches et autres accidents. Voici donc les recettes recommandées à la future mère :

Première recette

Prenez de l'argile fine qui adhère à la main du potier, lorsqu'il façonne sa jarre, et buvez-en dans du lait de chèvre. Vous n'aurez à craindre aucun accident[1].

Deuxième recette

Prenez parties égales de réglisse en poudre[2], d'écorce de *Lodhra* et de myrobolans emblics secs; vous boirez cela sept jours durant avec du lait, au cas où le fœtus prendrait une mauvaise position, par suite de chute de la matrice.

Troisième recette

Faites bouillir longtemps, dans du lait, du beurre clarifié, du miel et de la racine de lotus rouge; laissez refroidir la décoction, et buvez-en pendant sept jours. Cette médecine préviendra les vomissements, les envies irrégulières et la viciation des trois humeurs : bile, sang et flegme.

Ici finissent les médecines contre les fausses couches et les accidents de la grossesse; les suivantes ont pour but d'assurer un travail facile et une heureuse délivrance.

---

1. Rien de nouveau sous le soleil, pouvons-nous remarquer une fois de plus. Pendant ces dernières années, la médecine et la chirurgie ont fait revivre l'emploi de l'argile, à l'extérieur comme à l'intérieur, et beaucoup d'hôpitaux aux États-Unis l'ont préférée, pour le pansement des plaies, à tous autres cataplasmes.

2. D'autres lisent *Prasidva*.

Première prescription

Prenez quantités égales de citron en poudre et d'écorce de *Bassia latifolia,* mêlez avec du beurre clarifié et du miel et prenez-en d'une manière continue : votre travail sera léger.

Deuxième prescription

Prenez de la suie dans l'âtre ou foyer, et buvez-en dans de l'eau froide qui aura été tirée la veille.

Troisième prescription

Invoquez l'arbuste *Gunj* ou *Chanoti* (l'*abrus precatorius,* dont les grains rouges et noirs sont le *carat* original du joaillier) un samedi, arrachez la racine le lendemain dimanche, et attachez-vous-la avec du fil noir aux cheveux et à la ceinture.

Quatrième prescription

Qu'un saint homme récite au-dessus de l'eau un *Mantra* ou charme dont il connaît la puissance, et qu'il la donne à boire à la femme.

Ici finissent les médecines pour assurer un travail facile. D'un autre côté, il peut être désirable de limiter les membres de la famille, et, dans ce cas, on se trouvera bien des prescriptions suivantes [1] :

Première prescription

La femme qui mangera chaque jour pendant une quinzaine quarante *mashas* de mélasse *(Jagri)* vieille de trois ans, restera stérile tout le reste de sa vie.

Deuxième prescription

Prenez pendant trois jours après le quatrième (jour de la purification) une décoction de *Chitraka* (dentelaire de Ceylan, *plumbago zeylonica)* bouilli avec de l'eau de riz [2].

Troisième prescription

La femme qui boira, pendant trois jours après le quatrième, une décoction de la plante *Kallambha (nauclea cadamba* ou *parvifolia)* et de pattes de mouches des bois, n'aura jamais d'enfants.

---

1. Le seul moyen licite de limiter la famille dans l'Inde consiste dans la polyandrie, qui est maintenant confinée à Malabar, Ceylan et autres parties de l'Himalaya. Les abortifs, toutefois, sont communs dans toute la péninsule, et une foule de femmes font leur trafic de cette forme de meurtre. Rarement, sinon jamais, emploie-t-on les instruments et la violence : on a surtout recours aux poisons et aux drogues, ce qui fait souvent partager à la mère le sort de l'enfant.

2. D'autres lisent « décoction de cosses, paille ou son de riz ».

Quatrième prescription

Réduisez en poudre vingt *mashas* de noix *(semicarpus anacardium)*, faites bouillir avec du *Dhun* ou eau dans laquelle on a lavé le riz, et buvez pendant les sept jours que dure le flux menstruel : vous serez stérile le reste de votre vie.

Ici finissent les prescriptions pour limiter la famille. Celles qui suivent pourront servir de cosmétiques. Et d'abord pour faire épaissir et embellir les cheveux :

Première recette

Prenez des fleurs de sésame (le grain) et le fruit de la herse *(tribulus lanuginosus)*, broyez dans du lait de vache et appliquez sur les cheveux pendant sept jours; si rares qu'ils aient été, ils deviendront épais et longs.

Deuxième recette

Broyez de la graine de croton *(croton tiglium)* et du *Shambhar* ou corne de cerf[1], faites bouillir dans de l'huile de sésame et appliquez sur les cheveux : de bronzés, ils deviendront noirs, et si faibles, si enclins à

1. D'autres lisent *Lodhra*.

tomber qu'ils fussent, ils reprendront force et vigueur.

Troisième recette

Mêlez avec du miel des fèves de *Gunj (abrus precatorius),* et appliquez sur la tête : ce médicament est souverain contre l'infirmité dite *Indra-luptaroga*, ou calvitie du sommet de la tête[1].

Quatrième recette

Brûlez de l'ivoire, pilez-le bien et appliquez-le, mêlé avec de l'eau, sur la tête : les cheveux y repousseront.

Ici finissent les prescriptions pour faire épaissir et embellir les cheveux; les recettes suivantes ont pour objet d'obtenir une belle couleur noire :

Première recette

Prenez des bourgeons de manguier, des fruits des trois myrobolans, de l'écorce d'*Arjuna-vriksha (pentaptera arjuna)* et de l'arbrisseau *Penduré;* broyez bien et faites

---

1. Quelle fortune serait un pareil remède dans les pays civilisés! Et pourtant les Hindous *ont* quelque chose de ce genre : témoin le mendiant *Jata-wala,* qui a des cheveux longs de plus de six pieds et qui les enroule autour de sa tête comme un turban.

bouillir dans de l'huile de sésame, qui porte maintenant le nom de *Nila-tel,* huile d'indigo, c'est-à-dire de couleur noire. Ce médicament est de beaucoup le meilleur pour teindre les cheveux : que pourrais-je en dire de plus, si ce n'est que si l'on y trempe l'aile du *Hansa* (oie sauvage blanche), elle en sortira aussitôt noire comme la nuit ?

Deuxième recette

Mélangez de la poudre de noix de galle perse, de poivre long, de feuilles d'indigo et de sel de roche (le mordant) avec du gruau doux de froment : il en résultera une teinture d'un noir brillant[1].

Troisième recette

Qu'un homme boive chaque jour pendant un mois quarante *mashas* d'huile de *Nim (Melia,* sorte d'arbrisseau)[2] : ses cheveux changeront graduellement de couleur et deviendront d'un noir éclatant comme l'aile du *Bhramara* (l'abeille-bourdon de l'Inde).

---

1. Outre le noir, les seules teintures usitées dans l'Inde sont le bleu d'azur clair, l'essence de feuilles d'indigo appliquée à la barbe blanche par les hommes de la côte occidentale, et la poudre de *Henna,* qui donne une teinte orange.

2. On rencontre en Orient beaucoup de médicaments internes pour changer la couleur des cheveux : les hommes prudents s'en abstiennent.

Quatrième recette

Pilez ensemble du *Gorochana* (pierres de bézoard)[1], de la graine de sésame noir, du *Kakajangha* (sorte de pois, littéralement « cuisse de corbeau ») et du *Shatavari (asparagus racemosus)*, appliquez sur les cheveux : ils noirciront bientôt.

Pour blanchir et lustrer les cheveux, les Sages proposent ce qui suit :

Prescription

Trempez le grain du sésame dans le suc du *Nivarung (euphorbia pentagonia)*, séchez au soleil et extrayez l'huile : quelle que soit la partie du corps qui soit mise en contact avec cette huile, le poil dont elle est pourvue deviendra blanc et brillant comme du cristal.

Pour renouveler la chevelure, on observera ce qui suit :

Recette

Trempez des myrobolans secs dans le suc de l'euphorbe *(pentagonia)*, séchez au soleil, pilez, et appliquez sur les cheveux.

---

1. D'autres traduisent *Goro-chan*, « substance trouvée dans la tête de la vache », employée en teinture, en peinture et en médecine.

Il arrive souvent qu'on a des éruptions laissant sur le visage des taches fort désagréables à voir. Les prescriptions suivantes ont pour objet de nettoyer la peau :

Première

Pilez ensemble du *Vekhand* (racine d'iris)[1], de la corne de cerf[2] et de la graine de coriandre, et appliquez-vous cela sur le visage pendant trois jours : l'exanthème qui se produit sur la peau des jeunes gens des deux sexes disparaîtra presque aussitôt.

Deuxième

Réduisez en poudre les épines du cotonnier soyeux *(bombax heptaphyllum)*, faites macérer dans du lait et appliquez-vous cela au visage : l'effet sera tout ce que vous pouvez désirer.

Troisième

Prenez du *Lodhra,* du sel de roche, du *Shiras* blanc (moutarde) et du *Vekhand,* pétrissez avec de l'eau et frottez-en la peau.

Les deux recettes suivantes enlèveront la couleur noire de l'épiderme et lui rendront son teint clair primitif :

1. D'autres traduisent *Vekhand* par *calamus aromaticus.*
2. Suivant d'autres, du bois de *Lodhra.*

Première

Broyez dans du lait de la graine de sésame, du coriandre, du *Shaba-jire* (cumin; d'autres disent *nigella indica)* et de la graine de *Shiras :* ceci, appliqué sur le corps pendant sept jours, le rendra aussi net et aussi brillant que la lune.

Seconde

Prenez du bois de *Sanders* (ou santal) rouge, du *Tetvi* (le bois jaune du *bignonia chelanoides),* des bulbes-racines de gazon odoriférant *(cyperus juncifolivs),* de la réglisse, du *Tandulja (amaranthus oleraceus),* du curcuma et du zédoaire; broyez dans de la sève de banane ou de tiges de plantain écrasées, et appliquez sur le corps pendant sept jours.

Les deux recettes ci-après ont la vertu de développer les seins des femmes :

Première

Prenez des jets d'*Askhand,* de *Vekhand,* de *Kosht,* de la graine de cumin noir (fenouil amer?), de la racine d'oléandre et des clous de girofle; pilez, broyez dans un mortier avec de l'eau et du beurre; enfin, appliquez cela sur les seins, ils deviendront fermes et durs.

Seconde

Prenez en parties égales des noyaux de *Badri (Ber,* ou fruit du jujubier, *zizyphus),* de la racine d'oléandre, de la graisse de vipère (?), du *Kankol (myrtus pimenta)* et du cœur de bois de *Jahad* (l'arbre à cubèbe de Chine?); pilez, pulvérisez et employez comme ci-dessus.

Les trois recettes suivantes sont inappréciables pour relever et durcir les seins pendants[1] :

Première

Faites bouillir du suc de la plante *Narvel (narwelia zeylonica)* dans de l'huile de sésame et appliquez sur les seins; ils reprendront leur fermeté, si flasques qu'ils aient pu être.

Deuxième

Faites bouillir de l'écorce de grenade en poudre dans de l'huile de moutarde et

1. Les femmes de l'Inde proprement dite sont remarquables pour leurs seins ronds et élevés, et plus on avance dans le Sud, plus on trouve des seins fermes, quoiqu'on dût attendre le contraire sous un climat chaud, humide et tropical. D'autre part, les femmes du Cachemire, du Sindhy et du Pendjab, de l'Afghanistan et de la Perse, bien faites d'ailleurs et belles de visage, sont toutes plus ou moins sujettes, après leurs premières couches, au désagrément de voir leurs seins tomber. La ligne géographique de la sodomie correspond avec celle des seins flasques et pendants.

appliquez sur les seins de n'importe quelle femme : quand même elle serait vieille, ils deviendront bientôt gras, beaux et ronds.

Troisième

Prenez parties égales du suc de *Rui* (asclépiade gigantesque, *asclepias* ou *callotropis gigantea),* mêlez-y du *Chikana,* du *Tridhar* (feuilles de l'indigotier?), de l'*Onva* (gingembre sec?), de la sensitive, du curcuma et du zédoaire; pilez et faites bouillir dans de l'huile de sésame ou du beurre de vache clarifié, avec grand soin, de manière que le contenu du vase soit cuit à point, ni trop ni trop peu. Cet onguent, placé dans les narines d'une femme, a pour vertu de faire relever les seins. Et si on le mélange avec de l'eau où l'on a lavé du riz, pour le faire boire à une jeune fille de seize ans au plus, elle aura des seins forts et droits, qui ne pendront jamais le reste de sa vie.

Il convient maintenant de décrire les *Angarag*[1], ou onguents qui, appliqués sur le corps après une ablution, produisent naturellement l'amour.

Réduisez en poudre très fine du bois de

---

1. Les prescriptions suivantes, dans le texte original, terminent le chapitre VII, ou mystique. Mais leur place est évidemment ici, et on les y a transférées.

santal, du *Vala (andropogon muricatum,* vulgairement *Cuscus),* du *Lodhra* et de l'écorce de manguier, et mêlez avec de l'eau de *Harda* (myrobolans jaunes, ou chébules). En vous frottant la peau avec cet onguent, vous la parfumerez d'une façon délicieuse.

Les neuf recettes ci-après sont utiles pour enlever la mauvaise odeur d'une transpiration excessive, causée par l'ardeur du soleil, et pour arrêter la sécrétion dans l'eau chaude :

Première

Pilez ensemble et appliquez des feuilles de *Nim* et de *Lodhra,* avec de la pelure de grenade et de l'écorce de *Satvani,* mêlées dans de l'eau de *Harda.*

Deuxième

Pilez ensemble des graines de tamarin et de *Karanj (galedupa arborea,* Roxb.; *pongamia glabra,* Grati.; noyer *bonducilla,* Grey.), et de la racine de *Bel,* mêlées dans de l'eau de *Harda.* Ceci est souverain pour les aisselles.

Troisième

Pilez du *Naga-keshar,* du bois d'aloès, du *Vala* et du bois de santal, dans la sève exprimée de l'écorce intérieure du jujubier.

Quatrième

Pilez ensemble des fragments de fleurs tombées du noyer[1] et le fruit du *Janbali* (pomme rose) : ceci arrête la transpiration dans l'eau chaude.

Cinquième

Pilez ensemble des feuilles de *Nim,* du *Lodhra,* de la racine de lotus et de l'écorce de grenade : vous obtiendrez même résultat.

Sixième

Pilez des filaments de fleurs de l'arbre *Shiras (mimosa shirisa?),* du *Nagakesar,* du *Vala* et du *Lodhra;* on peut s'appliquer cela sur le corps ou le manger.

Viennent ensuite des recettes d'huiles et onguents parfumés, à employer après le bain :

Première

Mettez des feuilles de *Bel* dans de l'huile douce (de sésame) et exposez-les au soleil jusqu'à dessiccation; ajoutez successivement du *Bakul* (l'arbre à fleurs, *mimusops elengi),* du

1. *Akrota-Vriksha;* d'autres lisent *careya arborea, salvadora persica,* et même une sorte de palmier.

Marva (marjolaine douce, *origanum marjorana)*, des fleurs d'*Ashoka (Jonesia asoca)* et des fleurs de *Kevada (pandanus odoratissimus) ;* délayez dans l'huile et gardez à l'ombre. Cette préparation exhale un parfum très apprécié des voluptueux.

Deuxième

Pilez ensemble des graines de petits cardamomes, de *Nagar-motha* (gazon odorant), de *Nakhla (unguis odoratus)*, de *Sona-kevada (pandamnus odoratissimus* jaune), de *Jatamansi* (nard indien), de *Kachora (salvia bengalensis)* et de *Tamal-patra* (feuilles du *laurus cassia,* ou du *xanthochymus pictorius) :* ce médicament, appliqué sur le corps et sur les cheveux au moment du bain, produit un délicieux parfum.

Troisième

Pilez ensemble de l'*Anvalkathi,* du *Sona-kevada,* du *Nagar-motha,* du *Vala,* du *Harada* et du *Jatamansi.* Ce parfum, une fois appliqué, est capable de durer toute une quinzaine.

Quatrième

Pilez ensemble, en parties égales, du bois de santal, de l'*Ela-dana* (graine de cardamome), du *Kachora,* du *Tamal-patra,* du *Harada* et des graines ou fèves de *Shegva* (grand raifort, ou graine de *guilandina moringa, hyperanthera moringa)*, avec du *Nagar-motha* et du *Vala :* il en résultera un onguent d'excellente senteur.

Cinquième

Pilez ensemble, en égales quantités, du *Kapura* (camphre), du *Kunkumagar* (sorte de bois de santal)[1], du *Lodhra,* du *Lohban* (encens), du *Vala,* du *Nagar-motha* et du *Kala-vala* (variété noire d'*andropogon muricatum)*.

Sixième

Appliquez sur le corps une composition de *Tamal-patra,* de *Vala,* de bois de santal, de *Kala-vala* et de *Krishna-grau* (bois d'aloès noir, *aquilaria agellochum)*.

Septième

Réduisez en poudre fine du *Kasturi* (musc), du *Naga-keshar,* du *Shila-ras* (benjoin ou oliban supposé suinter de la pierre), du *Ganeri-kapur* (sorte de camphre), des noix muscades et du *Lohban;* mêlez avec du suc de feuilles de bétel et appliquez sur le corps. Ce parfum convient aux Rajahs, et conséquemment à tous autres hommes.

---

1. D'autres traduisent *Kunkumagar* par « safran ».

Huitième

Prenez les drogues ci-après dans les proportions suivantes : une partie de *Nagar-motha,* deux parties de costus, de *Lobban* et de *Kapur,* quatre parties de *Harada,* cinq parties de *Shila-ras* et neuf parties de *Nakhla (unguis odoratus) ;* cet onguent, appelé *Kasturi-dul* (morceau de musc), est peut-être celui qui convient le mieux aux Rajahs.

Neuvième

Pilez ensemble une partie de *Nakhla,* de *Harada,* de *Vekhand,* de *Nagar-motha,* de *Jatimansi,* de *Shopa* (anis) et de graine de *Karanj,* deux parties de *Sona-kevada,* et trois parties de camphre, de santal noir, de musc, de noix muscades et de *Jatamansi ;* on appelle ce parfum *Sugandha-garbha ;* il est difficile de s'en procurer les ingrédients, aussi est-il le plus apprécié.

A ce qui précède, on peut joindre cinq prescriptions pour purifier l'odeur de la bouche :

Première

Pilez ensemble du *Kalmi-dalchini* (sorte fine de cannelle), du macis, des grains de cardamome, du *Nakhla,* du *Sona-kevada* et des noix muscades; faites-en des pilules et mangez-les avec de la feuille de bétel[1].

Deuxième

Pilez ensemble du *Kesar* (safran), du *Kankol (myrtus pimenta)*, du *Lobhan*, des noix muscades et de la graine de coriandre; faites-en des pilules et mangez comme ci-dessus.

Troisième

Prenez pendant une quinzaine, soir et matin, une poudre composée d'*Ekangi-mura* (marjolaine), de *Naga-kesa* et de costus.

Quatrième

Réduisez en poudre des carats (grains d'*abrus)* et du costus, mêlez avec du miel et prenez cela pendant quinze jours : votre haleine aura le parfum du *Pandanus odoratissimus*.

Cinquième

Pilez les cendres de l'*Apamarga-vriksh (achyranthes aspera)* et trempez-les dans du suc

---

1. Le *Pan-supari*, la « chique » favorite de l'Hindoustan, se compose du *Pan* (feuille du poivrier bétel, *P. betel*), contenant de la noix hachée de *Suppari* (fruit du palmier

de feuilles de manguier; faites sécher au soleil, et mangez chaque matin un peu de ce *Ksara* (alcali), avec de la noix d'arec et de la feuille de bétel. C'est la meilleure de toutes les prescriptions pour se purifier l'haleine après avoir mangé.

Areca), avec un peu de cachou, de cardamome, de noix muscade et de macis, plus une petite quantité de *Chunam* (chaux éteinte) pour donner de l'arôme.

CHAPITRE VII

Traitant du Vashikarana

Le *Vashikarana* est l'art par lequel un homme ou une femme est réduit à soumission et obéissance par le fascinateur, qui, pour cet objet, emploie certaines drogues et certains charmes. Et d'abord, notons le charme *Tilaka*[1].

1. C'est la marque ronde de sectaire, grande à peu près comme un pain à cacheter, que l'Hindou s'applique sur le front, après certaines cérémonies et prières. Les abominations que renferme ce chapitre intéresseront le lecteur. L'idée fondamentale paraît être que si l'on peut administrer une sécrétion quelconque du corps (et la plus dégoûtante est la meilleure) à une personne de l'un ou l'autre sexe, on soumettra cette personne à sa volonté. Le lecteur européen aura peine à croire combien cette pratique est en faveur

Première prescription

Le vénéré sage Vatsyayana Muni[1] a déclaré qu'un homme, quel qu'il soit, qui prendra de la poudre de sensitive, de la racine de lotus vert, de la *Bassia latifolia* et de la fleur d'orge, et qui, après y avoir mêlé un peu de son propre *Kama-salila,* s'appliquera cette composition, comme marque de sectaire, sur le front, cet homme-là subjuguera toutes les femmes, et il n'en est pas, si insolente soit-elle, qui ne ressente pour lui le plus vif désir.

Deuxième prescription

L'homme qui pilera de la racine d'asclépiade géante, du *Jatamansi* ou nard indien *(valeriana jatamansi),* du *Vekhand,* du gazon odorant *Nagarmotha (cyperus pertenuis* ou *juncifolius)* et du costus avec le sang du Yoni d'une femme, et qui se l'appliquera sur le front, sera toujours heureux en amour et aura une longue série de succès.

---

dans tout l'Orient. Aucun Persan ne boira de sorbet dans la maison de sa future belle-mère. Les femmes juives, qui sont spécialement adonnées à ces maléfices, mêlent de leur sang menstruel aux philtres qu'elles donnent aux hommes.

1. On peut maintenant consulter les *Kama Sutra* du sage Vatsyayana, traduits du sanscrit en anglais, avec Préface, Introduction et Postface : *Benares, printed for the Hindoo Kama Shastra Society,* 1883, in-8°; et de l'anglais en français, *Paris, Isidore Liseux,* 1885, in-8°.

Troisième prescription

L'homme qui prendra, en parties égales, du *Tagar* (plante à fleur, *taberna montana* ou *coronaria asarobacca),* du *Pimpalimull* (racine du *piper dichotomum* ou poivre long), du *Mendha-shinghi* (plante dont le fruit ressemble à des cornes de bouc ou à des pinces de crabe) et du nard indien; qui mêlera ensemble ces substances et les pétrira dans du miel auquel il ajoutera de son *Kama-salila* ou de quelque autre des cinq *Mala* (sécrétions du corps) : cet homme-là, en s'appliquant ce mélange sur le front, sera capable de conquérir et de subjuguer toutes les femmes de l'univers.

La recette ci-après sera pour une femme le moyen de gagner et de conserver l'amour de son mari :

Faites macérer du *Gorochana* dans votre sang menstruel, appliquez-le-vous sur le front en guise de *Tilak :* aussi longtemps qu'il y sera et que votre mari aura les yeux dessus, aussi longtemps vous le dominerez.

Vient ensuite ce qu'on appelle *Anjan,* c'est-à-dire des collyres magiques pour gagner l'amour et l'amitié.

Premier collyre

Prenez un crâne humain au cimetière ou sur le terrain de crémation, le huitième jour de la quinzaine lumineuse du septième mois, *Ashvini* (septembre-octobre), exposez-le au feu, et recueillez la suie sur un plat tenu au-dessus; peignez-vous avec cette suie les surfaces intérieures des paupières, au lieu d'employer de l'antimoine comme d'habitude : vous aurez le pouvoir de fasciner n'importe qui[1].

Deuxième collyre

Prenez de la manne de bambou, du *Naga-keshar (messua ferrea)*[2], du *Korphad (aloe perfoliata)* et du *Manshila* (sulfure rouge d'arsenic); réduisez en poudre, tamisez et employez comme collyre : vos yeux attireront les cœurs de tout le monde.

Troisième collyre

Prenez du bois de *Tad* (sorte de palmier), du costus et de la racine de *Tagar,* pilez dans de l'eau où vous ferez moisir un morceau d'étoffe de soie; tressez avec cette étoffe des mèches que vous imbiberez d'huile de *Shiras,* allumez-les et recueillez la suie qui se formera

---

1. Il n'y a rien, aux yeux des Hindous, de plus impur ni de plus sacrilège qu'un acte comme celui-ci, car ils ont, en général, le plus grand respect pour un corps privé de vie. Et c'est, naturellement, l'horreur de la chose qui est le secret de son prestige.

2. D'autres traduisent : « bourgeons de cassia ».

sur un crâne humain pris au cimetière et tenu au-dessus de la lampe : vous aurez ainsi un collyre tel, que quiconque le regardera sera votre serviteur ou votre esclave.

Quatrième collyre

Prenez du *Manshil,* du *Naga-keshar,* du *Kala-umbar* (fruit du *ficus glomerosa)* et du sucre de bambou, et faites un collyre lorsque l'astérisme *Pushya* tombe un dimanche; l'effet de ce collyre sera d'augmenter grandement le mutuel amour de l'époux et de l'épouse.

Les trois prescriptions suivantes ont pour effet de réduire les autres à soumission :

Première

Prenez une poudre composée de *Kang* ou panic blanc *(panicum italicum),* de *Nishottar* blanc *(thomea turpethum),* d'aile de l'abeille *Bhramara,* de costus, de fleur de lotus et de racine de Tagar; jetez cette poudre sur un homme : il sera aussitôt fasciné.

Deuxième

Prenez une poudre composée de feuilles de *Vatala,* de *Soma-valli* (la plante lunaire, *asclepias acida,* ou *sarcostema viminalis)* et d'une guirlande ou rosaire placé sur un cadavre;

mêlez à cette poudre un peu de votre *Kama-salila,* et jetez-la sur une personne quelconque : elle sera sûrement soumise.

Troisième

Prenez une poudre composée de quantités égales de *Sata-vina Vrisksha* (l' « arbre aux sept fleurs », *astonia scholaris,* ou *echites),* de *Rudraksha (eleocarpus lanceolatus,* ou *Ganitrus,* arbre consacré à Siva) et de graines de *San* (« soleil » du Bengale); employez comme ci-dessus, et l'effet sera encore plus grand. C'est peut-être la composition la plus puissante pour fasciner les autres.

Pilule-philtre (Vatika)

Un mardi quelconque, retirez les entrailles d'un geai bleu *(coracias indica)* et insérez dans le corps un peu de votre *Kama-salila;* mettez ce corps dans un pot de terre, couvrez-le avec un second pot retourné sens dessus dessous, enveloppez de toile humectée de boue, et gardez cela dans un lieu solitaire pendant sept jours; retirez le contenu [1], pilez, réduisez en poudre fine, façonnez-en des boulettes ou pilules et faites-les sécher. Une de ces pilules, donnée à une femme, la rendra esclave de l'homme, et *vice versa.*

1. Ce contenu, naturellement, doit être putride dans un climat indien.

Autre charme

L'homme qui, après avoir joui de sa femme, prendra un peu de son propre *Kama-salila* dans sa main gauche et l'appliquera sur le pied gauche de sa femme, la trouvera entièrement soumise à sa volonté.

Autre charme

La femme qui, avant le congrès, touchera de son pied gauche le Lingam de son mari et en prendra l'habitude, le soumettra certainement et en fera son esclave pour la vie.

Autre charme

Qu'un homme prenne les excréments du pigeon à cou tacheté, du sel de roche et des feuilles de *Bassia latifolia,* en parties égales; qu'il les pulvérise et, avec la poudre, frotte son Lingam avant le congrès : il se rendra maître de la femme.

Autre charme

Pulvérisez ensemble du *Kasturi* (musc commun, suivant d'autres : une sorte de camphre) et du bois de *Tetu* jaune; mêlez avec du miel vieux de deux mois, et appliquez-vous cette substance sur le Lingam avant le congrès : elle aura le même effet.

Encens fascinant, ou fumigation

Pilez bien ensemble du bois de santal, du *Kunku* (poudre rouge composée de curcuma et d'alun colorés avec du jus de citron et d'autres matières), du costus, du *Krishna-guru* (santal noir), des *Suvasika-pushpa* (fleurs parfumées ?) du *Vala* blanc (l'*andropogon muricatum* odorant) et de l'écorce de sapin *Deodaru ;* et après avoir réduit cela en poudre fine, mêlez-y du miel et faites bien sécher. C'est ce qu'on appelle *Chinta-mani Dhupa,* l' « encens qui maîtrise la pensée ». Si l'on emploie un peu de cet encens conformément aux cérémonies prescrites, on se rendra maître du monde entier.

Autre encens

Pilez et mêlez ensemble quantités égales de graines de cardamome, d'oliban (ou benjoin de gomme), de la plante *Garur-wel* (ménispermée, *menispermum glabrum,* ou *cocculus cardifolius),* de bois de santal, de fleurs de jasmin auriculé et de garance de Bengale. Cet encens est aussi efficace que le précédent.

Voici maintenant les *Mantras,* ou versets magiques qui ont le pouvoir de fasciner[1].

---

1. Il est à peine besoin d'observer ici qu'en Angleterre même subsiste encore la vieille superstition qui fait sommer de comparaître une personne absente.

1. *Kameshwar Mantra*

« O Kameshwar, soumets telle et telle personne à ma volonté! »

On emploie cette formule comme suit[1]. Accompagnez le *Kameshwar* du mystique « Om » ou *Pranava*. Prononcez ensuite le nom de la femme avant les mots *Anaya! Anaya!* et suivez avec le *Bija* (la semence, ou conclusion cabalistique). Il faut répéter mentalement ce charme dix mille fois, que l'on compte au moyen d'un cordon (rosaire) de cent huit fleurs de *Kadamba (nauclea cadamba)*, ou de *Palasa (butea frondosa)*. Le sacrifice ou l'offrande consiste à brûler la même espèce de fleurs en comptant la dixième partie du nombre fixé pour la formule, soit mille. C'est de la sorte que le *Mantra-devata* est réduit en notre pouvoir[2]. Finalement, on donne une des fleurs qui a été charmée par le verset récité sur elle à la femme dont on a prononcé le nom, et cette femme se trouve ainsi subjuguée.

---

1. Les formules sont généralement de mauvais vers, dont le seul objet paraît être de captiver la volonté du récitateur. Elles conduisent à un sujet compliqué, le magnétisme animal, ou Mesmérisme, deux noms également absurdes pour des choses qui ont été pratiquées dans l'Inde de temps immémorial.

2. L'efficacité du *Mantra* est dans le *Devata,* ou déité qui y réside, et on le conquiert ou se le concilie par le simple fait de la répétition de la formule et des offrandes. Cette conclusion résulte directement de la théorie hindoue de la prière.

2. *Chamunda Mantra*[1]

« Chamunda, etc. »

Répétez ce *Mantra* mentalement une infinité de fois (cent mille) avec le *Pranava.* Sacrifiez dix mille fleurs du *Butea frondosa,* et offrez en même temps le *Tarpana*[2] (ou présentez de l'eau à l'objet du culte). La cérémonie et les œuvres de propitiation une fois terminées, le *Mantra-devata* est soumis, et la femme fascinée par le don d'une fleur sur laquelle le verset a été répété sept fois.

3. *Le Mantra qui soumet la Padmini*

Répétez ce *Mantra,* avec le *Pranava,* jusqu'à ce que le *Mantra-devata* soit maîtrisé[3]. Écrivez alors ce *Kameshvara-Mantra* sur une feuille de bétel avec une fleur trempée dans du miel, en choisissant pour cela un dimanche. Finalement, après avoir répété le même *Mantra* cent fois, donnez la fleur à la *Padmini,* qui sera infailliblement soumise.

---

1. *Chamunda* est l'une des nombreuses appellations de *Devi,* l'épouse ou *Sakti* du dieu *Siva.*

2. Littéralement : « Satisfaction »; se dit de l'offrande de l'eau aux *Pitris* ou mânes des ancêtres.

3. Il n'est rien dit ici concernant le nombre de fois, qui peut être de dix mille ou cent mille. Bien entendu, le plus grand nombre est le meilleur, car le *Mantra-devata,* sans qui la formule n'a aucune efficacité, sera plus sûrement captivé. Les musulmans de l'Inde ont emprunté toutes ces superstitions aux païens.

4. *Le Madanastra-Mantra qui soumet la Chitrini*

Répétez ce *Mantra* avec *Pranava*, dix mille, cent mille fois, jusqu'à ce que la divinité qu'il contient soit maîtrisée. Faites alors tremper de la poudre de noix muscade dans le suc exprimé de la racine de bananier, mettez-la dans un rouleau de feuille de bétel qui aura été charmé en répétant dessus le *Mantra*, un dimanche, et faites manger cela à la *Chitrini*[1]. Elle sera certainement soumise.

5. *Le Mantra qui soumet la Shankhini*

Les anciens Sages versés dans la science des fascinations disent que ce *Mantra* est de la plus grande efficacité. Lorsque le *Mantra-devata* aura été soumis comme à l'ordinaire, faites subir le charme à des racines de *Tagar* et de cocotier, ou de *Belfruit (ægle marmaros*, ou *cratæra religiosa*, arbre consacré à Siva), et donnez-en à la Shankhini : si elle en mange un peu, elle sera réduite à obéissance.

6. *Le Mantra qui soumet la Hastini*

Après avoir soumis le *Mantra-devata*, pilez l'aile d'un pigeon[2] dans du miel, faites-en des pilules et administrez-les à la Hastini, qui sera aussitôt fascinée.

1. La difficulté, c'est de décider la femme à manger le bétel charmé; les Orientaux sont défiants en pareille matière, et nous avons vu ce qui justifie leur défiance.

2. D'autres lisent *Kevda*, perdrix ou francolin.

CHAPITRE VIII

Des différents signes chez les hommes et les femmes[1]

Les caractéristiques d'une femme que nous devons prendre pour épouse sont les suivantes :

Elle doit appartenir à une famille de même rang que celle de son mari, une famille connue pour être vaillante et chaste, sage et instruite, prudente et patiente, d'une conduite correcte et régulière, agissant suivant les préceptes de la religion et remplissant ses devoirs sociaux. Elle doit être exempte de

1. On a laissé ce chapitre tel quel, avec sa confusion de sujets; il eût été facile de le mettre en meilleur ordre, mais alors il aurait perdu son cachet.

vices et douée de toutes les bonnes qualités, posséder un visage gracieux et un corps élégant, avoir des frères et de la parenté, enfin être très experte dans les *Kama Shastra,* ou Science d'Amour. Une telle fille est véritablement apte au mariage, et un homme de sens doit s'empresser de la prendre, en observant les cérémonies prescrites par la Loi Sacrée.

Et ici, indiquons les marques distinctives de la beauté et de l'élégance du corps. La jeune fille dont le visage est doux et plaisant comme la lune; dont les yeux sont brillants et clairs comme ceux du faon; dont le nez est délicat comme la fleur de sésame; dont les dents sont propres comme des diamants et transparentes comme des perles; dont les oreilles sont petites et arrondies; dont le cou est semblable à un coquillage de mer, avec trois lignes délicates tracées derrière; dont la lèvre inférieure est rouge comme le fruit mûr de la bryone; dont les cheveux sont noirs comme l'aile du *Bhramara*[1]; dont la peau est brillante comme la fleur du lotus bleu foncé, ou claire comme la surface de l'or poli; dont les pieds et les mains sont rouges et marqués du *Chakra* circulaire ou disque[2];

---

1. La grande abeille noire de l'Europe méridionale, de l'Inde, etc., correspondant au *bumble-bee* (abeille-bourdon) d'Angleterre, mais sans les marques jaunes.

2. Il sera question du *Chakra* un peu plus loin.

dont l'estomac est petit, et la région ombilicale rentrée; dont les formes au-dessous des hanches sont très accusées; dont les jambes, bien proportionnées et gracieuses comme le bananier, ont une démarche pareille à celle de l'éléphant, ni trop rapide ni trop lente; dont la voix est douce comme celle de l'oiseau *Kokila* : une jeune fille de ce genre, surtout si elle a bon caractère et bon naturel, si elle n'est pas dormeuse, si elle n'est indolente ni de corps ni d'esprit, doit être épousée tout de suite par un homme bien avisé.

Mais la fille qui sort d'une mauvaise famille; dont le corps est trop petit ou trop grand, très gras ou très maigre; dont la peau est toujours dure et raboteuse; dont les cheveux sont jaunâtres, ainsi que les yeux, pareils à ceux d'un chat; dont les dents sont longues ou manquent tout à fait; dont la bouche et les lèvres sont grandes et renflées[1], avec la lèvre inférieure noirâtre et tremblante lorsqu'elle parle; qui laisse pendre sa langue; dont les sourcils sont droits; dont les tempes sont déprimées; qui laisse voir des signes de barbe, de moustaches, de poils épais sur le corps; dont le cou est lourd; qui a certains membres plus courts et d'autres plus longs

---

1. Tous les Orientaux professent la doctrine de l'École de Salerne :

Noscitur a labiis quantum sit virginis antrum :
Noscitur a naso quanta sit hasta viri.

qu'il ne faut suivant les proportions ordinaires; dont l'un des tétons est gros ou élevé, tandis que l'autre est petit ou bas; dont les oreilles sont triangulaires, en forme de van ou d'éventail; dont le deuxième orteil est plus grand ou plus long que le gros orteil[1]; dont le troisième orteil est racorni, sans bout ou pointe, et dont les petits orteils ne touchent pas le sol; dont la voix est rauque et le rire bruyant; qui marche vite et d'une allure incertaine; qui est d'un âge mûr; qui a des dispositions aux maladies et qui porte le nom d'une montagne (comme *Govardhan*)[2], d'un arbre (comme *Anbi*), d'une rivière (comme *Tarangini*), d'un oiseau (comme *Chimani*), ou d'une constellation (comme *Revati*, la vingt-septième résidence lunaire) : une telle fille, surtout si elle est irascible et de tempérament violent; si elle mange et dort trop; si elle est toujours agitée, troublée et tourmentée, inquiète et sans repos; si elle a peu de connaissance des choses du monde; si elle manque de pudeur et si elle est de

1. Ce point est fort discuté en Europe. Mais le gros orteil représente le pouce, qui distingue la main de l'homme de celle du singe : plus longs et mieux formés ils sont tous les deux, plus élevée est l'organisation. Les races diffèrent grandement sous ce rapport : comparez, par exemple, le pouce court de l'Anglo-Saxon avec le long pouce du Celte, ou le pouce commun anglais avec le pouce commun irlandais.

2. Montagne près de Mathoura, que Krishna souleva dans sa main.

nature vicieuse, doit être évitée avec soin, en toute circonstance, de l'homme sage et prudent.

Voilà pour les caractéristiques de la femme. Par contre, l'homme doit être éprouvé, absolument comme on éprouve l'or, de quatre manières : 1° par la pierre de touche; 2° en le coupant; 3° en le chauffant; 4° en le battant. Ainsi nous devons prendre en considération : 1° le savoir; 2° la disposition; 3° les qualités, et 4° l'action. La première caractéristique d'un homme est le courage, avec la patience; s'il entreprend quelque chose, petite ou grande, il doit le faire avec le cœur du lion. La seconde est la prudence : il faut déterminer le temps et le lieu, et guetter l'opportunité, comme le héron qui se tient debout guettant sans relâche sa proie dans l'étang au-dessous. La troisième est d'être matinal, et d'habituer les autres à l'être aussi. La quatrième est d'être brave à la guerre. La cinquième consiste à distribuer généreusement la nourriture et les biens à sa famille et à ses amis. La sixième est de veiller attentivement aux besoins de sa femme. La septième est la circonspection en matière d'amour. La huitième est le secret et la discrétion dans l'acte vénérien. La neuvième est la patience et la persévérance dans toutes les affaires de la vie. La dixième est le jugement pour recueillir et emmagasiner tout ce qui peut être nécessaire. La onzième est de ne pas permettre à la fortune et à la prospérité d'engendrer orgueil et vanité, magnificence et ostentation. La douzième est de ne jamais viser à l'impossible. La treizième est de se contenter de ce qu'on a, si l'on ne peut avoir davantage. La quatorzième est la simplicité de vie. La quinzième est d'éviter un sommeil prolongé. La seizième est d'être diligent au service de ceux qui vous emploient. La dix-septième est de ne pas fuir si l'on est attaqué par des voleurs et des vauriens. La dix-huitième est de travailler de bon cœur : par exemple, de ne pas s'inquiéter du soleil et de l'ombre si l'on est obligé de porter un fardeau. La dix-neuvième est de supporter patiemment les difficultés. La vingtième est d'avoir l'œil fixé sur une grande entreprise; et la vingt et unième est d'étudier les moyens les plus sûrs pour réussir. Or, une personne qui combine ces vingt et une qualités est à bon droit réputée un excellent homme.

Si l'on fait choix d'un gendre, il convient d'observer les caractéristiques suivantes. Il doit appartenir à une grande famille qui n'a jamais connu péché ni pauvreté. Il doit être jeune, beau, riche, brave et influent; actif en affaires, modéré dans la jouissance de ses biens, de parole douce, habile à remplir ses devoirs, connu de tout le monde comme une mine de vertu, ferme d'esprit, plein de miséricorde, donnant l'aumône et faisant des charités autant que ses moyens lui permettent.

Un tel homme, d'après la description des poètes, est celui auquel on fait bien de donner sa fille en mariage.

Voici maintenant les défauts et les mauvaises qualités d'un gendre. L'homme qui est né d'une famille vile, qui est vicieux, libertin, sans pitié, continuellement atteint de maladies dangereuses, malhonnête et méchant, pauvre et misérable, impuissant, enclin à cacher les vertus et à divulguer les vices des autres; qui voyage constamment, s'absente, n'est jamais à la maison et vit au-dehors; qui est endetté, qui mendie, qui n'a pas d'amis parmi les gens de bien, ou qui, s'il en a, se brouille avec eux pour des bagatelles : un tel homme ne sera jamais choisi pour gendre par un père bien avisé.

Nous arrivons maintenant aux *Samudrika-lakshana* ou signes chiromantiques, bons ou mauvais, qui affectent le bonheur présent et futur. En premier lieu, nous traiterons de la longueur de la vie d'un homme et d'une femme et des marques qui la dénotent, attendu qu'il serait inutile de chercher les petits détails de l'existence si elle devait bientôt finir. Voyons d'abord la palmistrie de l'homme (page suivante) :

Toute main et tout pied parfaits se composent de cinq membres, savoir : l'*Angushta* (pouce), le *Tarjani* (index), le *Madhyama* (médius), l'*Anamika* (annulaire) et le *Kanishthika* (petit

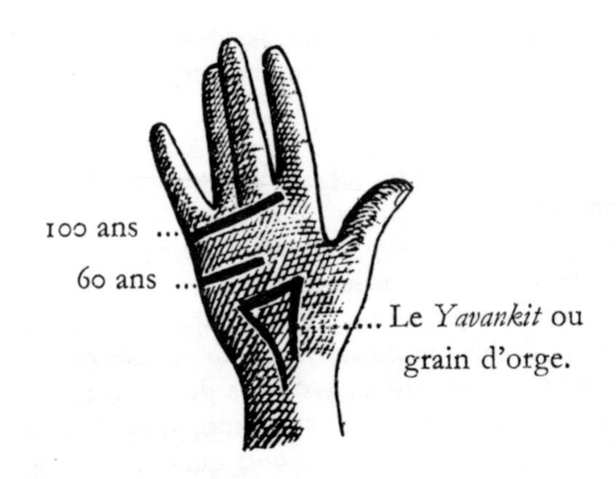

doigt). Or, s'il y a, dans la paume de la main [1], une ligne non brisée courant de la base du petit doigt à celle de l'index, c'est un signe que le sujet vivra cent ans. Celui dans la paume duquel court une ligne non brisée, depuis le coussinet du petit doigt jusqu'à celui du médius, peut être considéré comme devant vivre soixante ans. En outre, l'homme qui a sur le pouce ou sur la poitrine une marque figurant un grain d'orge [2], mangera

1. La palmistrie de nos Gipsies est généralement dérivée de l'Inde, comme leur langage, et un système aussi artificiel dénonce fortement une origine unique et une propagation par tradition. Chez nous, toutefois, la « ligne de vie », *linea vitæ,* court de la base du pouce à un endroit spécial, techniquement appelé le *Cingulum Veneris.*

2. Les Européens voient un M dans cette figure et supposent qu'elle signifie mariage. La « marque d'orge »

du pain gagné par ses propres efforts et sera toujours heureux. En règle générale, s'il y a peu de lignes dans la paume de la main, l'homme est pauvre et sans le sou; s'il y en a quatre, il est heureux; et s'il y en a plus de quatre, il est menacé de grands revers de fortune; enfin, une paume très rayée indique une nature querelleuse.

L'homme dont les yeux sont rouges, le corps élégant et de bonne complexion comme l'or; dont le tronc est charnu et dont les bras atteignent ses genoux[1], cet homme-là sera toujours riche et aura grandeur, opulence, maîtrise et suprématie.

L'homme dont les cuisses sont grandes acquerra une grande fortune; l'homme dont la taille est large sera béni dans sa femme et dans de nombreux enfants; l'homme dont les pieds sont longs[2] et les mains très délicates

---

du texte semble correspondre au triangle formé par la « Ligne suprême naturelle », la « Ligne de Vie » et la « Ligne du Mont Lunaire ». Voy. Richard Saunders, *Physiognomie and Chiromancie,* Londres, 1671, et Desbarrolles, *Les Mystères de la Main,* Paris, Dentu, 1862.

1. C'était le cas du célèbre montagnard Rob Roy Macgregor.

2. Conformation peu commune chez les Indiens, dont les pieds courts et minces sont méprisés des Afghans et des montagnards voisins. Lorsque Ranjit Singh commanda une centaine de fusils à mèche à un célèbre orfèvre d'au-delà de l'Indus, il reçut pour réponse un soulier, avec un billet portant que l'ordre serait exécuté aussitôt qu'on aurait trouvé un pied de Seikh capable de remplir cette chaussure.

vivra en constante félicité; et l'homme dont la tête est forte et allongée[1] s'élèvera au rang de prince.

L'homme dont le Lingam est très long sera misérablement pauvre. L'homme dont le Lingam est très gros sera toujours dans la détresse. L'homme dont le Lingam est mince et maigre sera très heureux; et l'homme dont le Lingam est court sera un Rajah[2]. Voilà pour les caractéristiques des hommes.

Considérons maintenant l'autre sexe. La femme qui a des signes de mauvais augure sera, ou deviendra orpheline, veuve, privée de frères et de sœurs, sans amis ni relations, de sorte qu'elle finira sa vie, comme elle l'a commencée, dans l'amertume. Il est donc nécessaire d'examiner soigneusement ses caractéristiques avant de l'épouser.

Qu'il soit bien entendu que la femme qui porte sur la plante de son pied gauche les signes du *Chakra* (disque particulier à Vichnou), du *Padma* (lotus), du *Dhvaja* (drapeau), du *Chatra* (parasol), du *Svastika* mystique[3], et le *Kamala,* c'est-à-dire des lignes circulaires

---

1. Une idée longtemps familière au monde, avant les jours du docteur Gall.

2. Voilà une origine hindoue pour les griffonnages de nos polissons de collège : *court et gros, long et mince.*

3. Le *Svastika* est la croix connue chez les Scandinaves comme le « marteau de Thor », et supposée indiquer la foudre. On le peint sur les portes, dans l'Inde, en guise

et non en forme de conque sur le bout de ses doigts, cette femme-là sera une Rani (reine). S'il manque une de ces figures, ou davantage, elle jouira cependant de tout le bonheur d'une tête couronnée.

La femme qui porte sur la plante de son pied gauche une ligne s'étendant du « mont » ou coussinet du petit orteil à la partie saillante du gros orteil, cette femme-là trouvera vite un bon mari et sera très heureuse en amour.

La femme dont les petits orteils ne touchent pas le sol quand elle marche est sûre de perdre son mari; et, pendant son veuvage, elle ne pourra pas se maintenir chaste.

La femme dont le *Tarjani* ou deuxième orteil est le plus long de tous ne sera pas chaste, même avant le mariage. Est-il douteux, alors, qu'elle soit adultère aussi longtemps qu'elle restera jeune ?

La femme dont les seins sont charnus, fermes et jolis, qui n'a pas de poil sur la poitrine, et dont les cuisses ressemblent à la trompe d'un éléphant, vivra une vie de bonheur.

La jeune fille qui a des grains de beauté noirs sur le téton gauche, la gorge et les

---

de marque ou sceau de bon augure, et les femmes hindoues (non les veuves), qui ne savent pas écrire leur nom, le tracent sur les documents pour tenir lieu de signature. *Svastika,* chez les *Jains,* est l'emblème du septième Gourou ou précepteur spirituel, et l'on donne aussi ce nom à un temple bâti sur le modèle d'un symbole.

oreilles, se mariera et aura un fils qui portera des marques de bon augure; et, de toute façon, sa famille sera bénie.

La jeune fille dont le cou est très long aura des inclinations vicieuses et cruelles. La jeune fille dont le cou est très court sera misérablement pauvre. La jeune fille dont le cou a trois lignes ou plis aura de bonnes inclinations et sa vie sera toujours heureuse.

La jeune fille qui porte sur la paume de sa main des lignes pareilles à des murs de clôture, à du *Toran* (guirlandes de fleurs) et à de petites branches d'arbres arrondies en cercle [1], deviendra la femme d'un roi, fût-elle née dans la maison d'une servante.

La jeune fille qui a dans les paumes des lignes tracées en forme d'*Ankush* (crochet pointu à l'usage des conducteurs d'éléphants), d'un *Kuntala* (éperon) et d'un *Chakra* (palet ou disque), se mariera dans une famille royale et aura un fils porteur de signes du meilleur augure.

Il est écrit dans le livre *Naradokta* [2] qu'on ne doit jamais épouser une jeune fille avant d'avoir examiné les lignes et marques de ses

1. Ces ornements pendent aux portes et aux pavillons les jours de fête.

2. C'est-à-dire le livre écrit par *Narada,* l'un des vingt *Rishis* ou Sages, et fils de Brahma. On donne communément son nom à un individu querelleur et brouillon.

mains et de les avoir trouvées bonnes. Si elle a des signes de mauvais augure, sa naissance causera la mort de son père, de sa mère et de son frère, l'un après l'autre. L'homme qui l'épousera mourra aussitôt, et il sera suivi par tous ses frères, de sorte que les deux familles seront détruites.

Il y a sept sortes d'inconvénients qui résultent du commerce avec la femme d'autrui. Premièrement, l'adultère raccourcit ou diminue la période de vie; secondement, le corps devient mou et sans vigueur; troisièmement, le monde se moque de l'amant et l'invective; quatrièmement, il se méprise lui-même; cinquièmement, sa fortune décroît rapidement; sixièmement, il souffre beaucoup dans ce monde; septièmement, il souffrira plus encore dans le monde à venir. Toutefois, malgré toute cette ignominie, ces affronts, ces disgrâces, il est absolument nécessaire d'avoir commerce avec la femme d'autrui, dans certaines circonstances qui vont être spécifiées.

De grands et puissants monarques se sont ruinés, eux et leurs royaumes, par leur désir de jouir de femmes qui appartenaient à d'autres. Par exemple, dans les temps anciens, la famille de Ravana, roi de Lanka (Ceylan), fut détruite parce qu'il avait enlevé de force Sita, femme de Rama, et cet événement donna naissance au poème du *Ramayana,* qui est connu du monde entier. Vali perdit la vie pour avoir tenté de séduire Tara, comme il est tout au long raconté dans un chapitre de cette histoire, le *Kishkinda-kand*. *Kichaka,* le *Kaurava,* avec tous ses frères, vint à perdition parce qu'il voulut avoir Draupada[1], fille de Drupad, l'épouse commune des frères Pandou, ainsi qu'il est narré dans une section du *Mahabharata,* le *Virat-parvi*. Telles sont les catastrophes qui accablèrent jadis les convoiteurs des épouses d'autrui : que personne, donc, ne tente l'adultère, même en pensée.

Mais il y a, dans la vie de l'homme, dix situations auxquelles il faut avoir égard. Premièrement, lorsqu'il est dans un état de *Dhyasa (desiderium),* n'ayant d'autre préoccupation que de voir une femme déterminée; deuxièmement, lorsqu'il a l'esprit égaré, comme s'il allait perdre ses sens; troisièmement, lorsqu'il est continuellement inquiet de la manière dont il s'y prendra pour conquérir et posséder la femme en question; quatrièmement, lorsqu'il passe de longues nuits privé de sommeil; cinquièmement, lorsque ses yeux deviennent hagards et que son corps s'amaigrit; sixièmement, lorsqu'il se sent perdre toute pudeur, tout sentiment de décence et de décorum; septièmement, lorsque ses richesses s'en vont à vau-l'eau; huitièmement, lorsque son état d'intoxication mentale tourne à la folie; neuvièmement, lorsqu'il a

1. Ces trois légendes correspondent à l'enlèvement d'Hélène, dans l'histoire classique de l'Hindoustan.

des défaillances; et dixièmement, lorsqu'il se trouve à la porte du tombeau[1].

Que ces diverses situations soient l'effet de la passion sexuelle, on peut le voir par un exemple emprunté à l'histoire des anciens jours. Il y avait jadis un roi nommé *Pururava,* qui était un homme pieux, et qui se livrait à tant de mortifications et d'austérités, qu'Indra, seigneur du Ciel Inférieur, se prit à craindre pour son propre trône. Le dieu, en conséquence, afin de mettre un terme à toutes ces pénitences et autres actes religieux, dépêcha du *Svarga,* son ciel, *Urvashi,* la plus aimable des *Apsaras* (nymphes). Le roi ne l'eut pas plus tôt vue, qu'il s'éprit d'amour pour elle, n'ayant jour et nuit d'autre pensée que de la posséder; enfin, il réussit dans son entreprise, et tous deux passèrent un long temps dans les délices de l'union charnelle. Mais il advint qu'Indra, se souvenant de l'Apsara, envoya son messager, l'un des *Gandharvas* (ménestrels célestes), au monde des mortels, pour la rappeler. Immédiatement après son départ, l'esprit de Pururava commença de s'égarer; il fut désormais incapable de penser à ses devoirs religieux, et il se vit bientôt mourir.

Considérez donc l'état où fut réduit ce roi pour avoir tant aimé Urvashi! Lorsqu'un

---

1. Ces dix situations sont les étapes successives de l'amour non satisfait.

homme s'est rendu l'esclave du désir, il doit consulter un médecin et les livres de médecine qui traitent de la matière. Et s'il arrive à cette conclusion qu'à moins de jouir de la femme de son voisin, il est sûr de mourir, il doit, afin de conserver sa vie, la posséder une fois, et une fois seulement[1]. Mais, à défaut de ce cas péremptoire, il ne saurait être en aucune façon justifié de jouir de la femme d'autrui, uniquement pour le plaisir et pour une vaine satisfaction.

Le livre de Vatsyayana, le *Rishi* (sage), nous enseigne en outre ce qui suit. Supposez qu'une femme, dans toute la vigueur de l'âge, arrive à s'enflammer d'amour pour un homme et soit tellement échauffée par la passion qu'elle se sente tomber dans les dix états ci-dessus décrits, au point de mourir de rage si celui qu'elle aime lui refuse l'union charnelle. Dans ces circonstances, l'homme pourra résister quelque temps aux importunités de cette femme; puis il réfléchira que son refus lui coûterait la vie, et il devra, en conséquence, la besogner une fois, mais non toujours.

---

1. Cette idée était générale chez les païens. Un ami eût été difficilement excusable de refuser, dans certaines circonstances, le prêt de sa femme. Ainsi Séleucus, roi de Syrie, donna la belle Stratonice à son fils Antiochus, afin de sauver sa vie menacée par la violence de la passion. Également généreux fut Socrate, ce « Chrétien d'avant le Christianisme »; mais peut-être l'humeur de Xantippe était-elle pour quelque chose dans cette générosité.

Cependant, les femmes désignées ci-après sont absolument et, quel que soit le cas, exceptées d'une tolérance de ce genre : la femme d'un Brahmane; celle d'un *Shrotriya* (Brahmane versé dans les Védas); celle d'un *Agnihotri* (prêtre qui garde le feu sacré), et celle d'un *Puranik* (lecteur des *Puranas*). Jeter sur une telle femme des regards indiscrets, ou seulement y penser avec des désirs sensuels, est d'une haute inconvenance : qu'est-ce donc, si l'on commet avec elle le péché de la chair! De même encore, un homme prend tout droit le chemin du *Naraka* (enfer) s'il couche avec la femme d'un *Khatriya* (roi, ou membre quelconque de la caste guerrière, maintenant éteinte), d'un ami ou d'un parent. L'auteur de ce livre recommande fortement à ses lecteurs d'éviter tous ces péchés mortels.

Il y a, en fait, certaines femmes dont il ne faut jamais jouir, si grande qu'en soit la tentation. Premièrement, une vierge, à moins de l'épouser; secondement, une veuve[1]; troisièmement, une femme qui vit chastement et honnêtement avec son mari; quatrièmement, la femme de votre ami; cinquièmement, la femme de votre ennemi; sixièmement, l'une des révérendes femmes ci-dessus spécifiées; septièmement, la femme d'un pupille ou d'un élève; huitièmement, une femme qui est

1. Parce que, dans la coutume hindoue, sinon par prescription légale, l'amant ne peut épouser une veuve.

née dans votre propre famille; neuvièmement, une femme atteinte d'une infirmité sérieuse; dixièmement, une femme qui a été violée; onzièmement, une femme folle; douzièmement, une femme plus âgée que vous[1]; treizièmement, la femme d'un *Gourou,* tuteur, instituteur ou guide spirituel; quatorzièmement, votre belle-mère; quinzièmement, votre tante maternelle (sœur de votre mère); seizièmement, la femme d'un oncle maternel[2]; dix-septièmement, une tante paternelle (sœur de votre père); dix-huitièmement, la femme d'un oncle paternel; dix-neuvièmement, une sœur; vingtièmement, une femme enceinte; vingt et unièmement, une femme que l'on ne connaît pas; vingt-deuxièmement, une femme qui a commis des crimes et des péchés

---

1. Les Orientaux sont tous d'accord sur ce point : ils croient que les embrassements d'une femme plus âgée que son mari « brûlent » et détruisent les forces de ce dernier. Il est certain que, si la différence d'âge est considérable, le plus jeune des deux souffre, au moins en apparence. Combien de femmes voyons-nous, dans nos pays civilisés, avec cet air moitié jeune, moitié vieux, qui révèle tout de suite à l'observateur leur union avec des maris beaucoup plus âgés! Le cas opposé se rencontre rarement, car la société attache toujours du ridicule au mariage d'un homme avec une femme sensiblement plus vieille que lui. Mais les quelques exemples qui en existent nous autorisent à croire que ces sortes d'unions ne sont pas favorables à l'hygiène.

2. Dans le sanscrit, comme dans le pracrit et autres langues modernes de l'Hindoustan, il existe différents noms pour notre « tante » : *Mavashi,* par exemple, est la tante maternelle, et *Mami,* la femme de l'oncle maternel.

mortels; vingt-troisièmement, une femme de complexion entièrement jaune; vingt-quatrièmement, une femme de complexion entièrement noire. Il est spécifié dans les *Shastras* (Écritures) que le sage ne doit jamais, en aucune circonstance, avoir affaire à ces vingt-quatre sortes de femmes, ni à d'autres qui s'y rattachent.

Voici une liste des femmes qui doivent seules servir d'intermédiaires[1] : premièrement, la femme d'un jardinier; deuxièmement, une femme qui est votre amie personnelle; troisièmement, une veuve; quatrièmement, une nourrice; cinquièmement, une danseuse; sixièmement, une femme occupée d'arts manuels ou mécaniques; septièmement, une femme de chambre vivant dans la famille; huitièmement, une domestique libre (non esclave); neuvièmement, une femme qui s'en va de porte en porte disant de douces paroles; dixièmement, une femme avec qui l'on peut causer librement d'amour et de plaisir; onzièmement, une jeune femme au-dessous de seize ans; douzièmement, une femme ascète ou mendiante au nom de la religion; treizièmement, une femme qui vend du lait et du lait de beurre; quatorzièmement, une

1. Ce mot ne doit pas nécessairement être pris en mauvaise part, comme synonyme de procureuse. Dans les familles hindoues, aussi bien que dans les musulmanes, les femmes sont séquestrées assez étroitement pour avoir besoin de Mercures femelles.

couturière; quinzièmement, une femme de celles qu'on peut appeler « Madame Grand-mère ». Les amoureux doivent préférer ces sortes de personnes, car elles s'acquittent convenablement et obligeamment de leur commission.

Suit la liste des femmes qui peuvent être le plus aisément soumises[1] : premièrement, une femme dont la conduite marque de l'immodestie; deuxièmement, une veuve; troisièmement, une femme qui excelle à chanter, à jouer des instruments de musique, ou dans les autres arts d'agrément; quatrièmement, une femme qui aime la conversation; cinquièmement, une femme très pauvre; sixièmement, la femme d'un imbécile ou d'un impuissant; septièmement, la femme d'un homme gras et ventripotent; huitièmement, la femme d'un homme cruel et méchant; neuvièmement, la femme d'un homme plus petit qu'elle; dixièmement, la femme d'un vieillard; onzièmement, la femme d'un homme très laid; douzièmement, une femme qui se tient d'ordinaire sur la porte de sa maison à regarder les passants; treizièmement, les femmes capricieuses; quatorzièmement, les

1. Cette expression ne s'emploie guère dans un sens honnête; on pourrait traduire « séduites », si le mot ne prêtait à l'équivoque. Quel homme sensé croira jamais à la « séduction » d'une femme mariée? En règle générale, c'est de son côté qu'est la séduction.

femmes stériles, surtout si leur mari désire des enfants; quinzièmement, une femme vantarde et glorieuse; seizièmement, une femme depuis longtemps séparée de son mari et privée de son rafraîchissement naturel; dix-septièmement, la femme qui n'a jamais connu les vraies délices de l'union charnelle[1]; et dix-huitièmement, la femme qui reste enfant d'esprit.

Décrivons maintenant les signes et symptômes auxquels nous pourrons reconnaître que les femmes sont amoureuses de nous. Une femme aime un homme : premièrement, lorsqu'elle n'a pas honte de le regarder[2] et de tenir hardiment les yeux fixés sur lui; deuxièmement, lorsque étant debout elle fait aller son pied ici et là, comme si elle décrivait des lignes sur le sol; troisièmement, lorsqu'elle se gratte les membres sans raison suffisante; quatrièmement, lorsqu'elle lance des œillades et regarde obliquement; cinquièmement, lorsqu'elle rit sans cause à la vue d'un homme.

En outre, la femme qui, au lieu de répondre simplement à une question précise, le fait en

---

1. Ce qui, on nous permettra de le dire, est le cas de beaucoup de femmes anglaises : l'unique remède à cet état de choses est une constante et intelligente étude de l'*Ananga-Ranga*.

2. En Orient, ce sont les femmes qui font les avances. Rien n'est plus risible que de voir un Turc barbu et enturbanné rougir, trembler et demeurer stupide devant une paire d'yeux féminins qui le dévisagent.

termes plaisants et enjoués; qui nous suit lentement et délibérément partout où nous allons; qui, sous un prétexte ou un autre, s'arrête devant nous avec un regard fixe et tendre; qui se plaît à marcher devant nous en faisant voir ses jambes ou ses seins; qui nous donne des marques de soumission basse et servile, toujours louant et flattant; qui se met en relation avec nos amis et leur demande continuellement : « Dans la maison de tel ou tel, y a-t-il des femmes? Les aime-t-il beaucoup? Sont-elles très belles? »; qui, en nous regardant, chante un petit air tendre; qui passe fréquemment sa main sur ses seins et sur ses bras; qui fait craquer ses doigts; qui bâille et soupire sans motif; qui ne paraîtra jamais devant nous, même si nous l'appelons, à moins d'avoir revêtu ses plus beaux habits; qui nous jette des fleurs ou pareilles choses; qui, sous divers prétextes, entre et sort à tout instant; enfin, dont le visage, les mains et les pieds se couvrent de sueur aussitôt qu'elle nous voit : une femme chez qui l'on remarque des signes et symptômes de ce genre est amoureuse de nous et vivement excitée par sa passion; tout ce que nous avons à faire, si nous sommes experts en amour, c'est de lui envoyer une habile messagère.

Voici, d'autre part, quelles sont les femmes difficiles à soumettre : premièrement, une femme mariée très amoureuse de son mari; deuxièmement, une femme qui reste chaste grâce à la froideur de ses désirs et à son mépris du congrès; troisièmement, une femme envieuse de la prospérité et des succès d'une autre; quatrièmement, la mère de nombreux enfants; cinquièmement, une belle-fille; sixièmement, une femme accorte et respectueuse; septièmement, une femme qui vit dans la crainte de ses parents et de ceux de son mari; huitièmement, une femme riche, qui soupçonne toujours et souvent à tort que nous aimons son argent mieux qu'elle-même; neuvièmement, une femme timide, honteuse, qui fuit la présence des étrangers; dixièmement, une femme avare et cupide; onzièmement, une femme qui n'est ni cupide ni avare. De telles femmes ne se laissent pas aisément gagner, et ce n'est pas la peine de perdre notre temps à les poursuivre.

Il est interdit de jouir d'une femme : premièrement, dans un endroit où l'on a allumé du feu avec la formule religieuse *Agni-mukha* et autres *Mantras;* deuxièmement, en présence d'un Brahmane ou d'un autre révérend; troisièmement, sous les yeux d'une personne âgée à laquelle on doit du respect, telle qu'un *Gourou* (guide spirituel) ou un Père; quatrièmement, en présence d'un grand personnage; cinquièmement, au bord d'une rivière ou d'un ruisseau murmurant; sixièmement, à un *Panwata,* c'est-à-dire un lieu où l'on tire de l'eau de puits, de réservoirs, etc.; septièmement, dans un temple dédié aux dieux; huitièmement, dans un fort ou château; neuvièmement, dans une salle de garde, station de police ou autre endroit servant de prison; dixièmement, sur un grand chemin; onzièmement, dans la maison d'un autre; douzièmement, dans une forêt; treizièmement, dans un lieu découvert, tel qu'une prairie ou un plateau; quatorzièmement, sur un terrain où l'on a enterré ou brûlé des hommes. La copulation charnelle, en de tels endroits, a toujours des effets désastreux; elle attire des malheurs, et, si l'on a des enfants, ils sont méchants et vicieux.

Les moments où l'on ne doit pas jouir des femmes sont les suivants : premièrement, le jour, à moins que leur classe et leur tempérament ne l'exigent; deuxièmement, durant le *Sankranti-parvani,* c'est-à-dire lorsque le Soleil ou une planète passe d'un côté du zodiaque à l'autre[1]; troisièmement, durant le *Sharad,* ou saison froide (octobre à novembre)[2];

---

1. *Parvani* (en sanscrit *Parva*) se dit de certaines époques, telles que les solstices et les équinoxes, où les bonnes œuvres sont le plus méritoires.

2. Il faut se rappeler que durant toute la période d'inclinaison méridionale du Soleil *(Dakshanayana,* opposé à *Uttarayana,* sa direction septentrionale), les Hindous de la haute caste ne se marient pas.

quatrièmement, pendant le *Grishma,* ou saison chaude (juin à juillet)[1]; cinquièmement, dans l'*Amavasya* (le dernier, le trentième ou le jour de la nouvelle lune du mois hindou), à moins que le Shastra d'Amour spécifie le contraire; sixièmement, durant la période où le corps de l'homme souffre de la fièvre; septièmement, durant l'exécution d'un *Vrata,* c'est-à-dire d'une pratique religieuse qu'on s'est volontairement imposée, avec obligation d'aller jusqu'au bout; huitièmement, le soir; et neuvièmement, lorsqu'on est fatigué d'un voyage. Les conséquences d'un congrès à de telles époques sont aussi désastreuses que s'il avait lieu dans un endroit prohibé.

Voici l'endroit que les Sages des anciens temps ont décrit comme le mieux approprié à l'union sexuelle avec les femmes. Choisissez la chambre la plus grande, la plus belle et la mieux aérée de la maison, purifiez-la entièrement avec du blanc de chaux, et décorez-en les murs spacieux et hauts avec des peintures et autres objets sur lesquels l'œil puisse s'arrêter avec délices[2]. Disposez

---

1. Les quatre autres saisons sont le *Vasanta,* ou printemps (avril à mai); le *Varsha,* ou saison des pluies (août à septembre); le *Hemanta,* ou saison froide (décembre à janvier); et le *Shishira,* premier printemps (février à mars). Ainsi l'année hindoue se compose de six *Ritu* ou saisons.

2. Cette précaution pourrait être observée dans la civilisation moderne. Les Grecs et les Romains la mettaient en

çà et là dans cette chambre des instruments de musique, particulièrement le hautbois et le luth; avec des rafraîchissements tels que noix de coco, feuilles de bétel et lait, si utiles pour entretenir et restaurer les forces; des flacons d'eau de roses et d'essences diverses, des éventails, des livres de chansons amoureuses, illustrés de figures et de postures lascives. De splendides *Divalgiri,* ou girandoles, rayonneront tout autour de la pièce, réfléchis par cent miroirs. Cependant, l'homme et la femme, dégagés de toute réserve, de toute fausse honte, se livreront, en parfaite nudité, aux ébats d'amour, sur un lit élevé et richement décoré, garni de nombreux coussins et surmonté d'un somptueux *Chatra* ou baldaquin; avec les draps semés de fleurs et parfumés des vapeurs d'un encens exquis, tels qu'aloès ou autres bois de senteur[1]. C'est là que, monté sur le trône d'amour, l'homme jouira de la femme en toute aise et confort, donnant pleine satisfaction à ses désirs, à ses caprices et à ceux de sa compagne.

---

pratique, afin de procréer de beaux et gracieux enfants. Si l'on tient compte des « marques de mère » et autres curiosités puerpérales, on ne décidera pas légèrement que l'aspect de tels ou tels objets dans une chambre à coucher n'influe pas, favorablement ou non, sur la conception.

1. Relativement à l'effet des parfums sur les organes, voir le chap. IX.

CHAPITRE IX

Des jouissances externes

Par « jouissances externes » il faut entendre les procédés qui doivent toujours précéder la jouissance intérieure, ou coït. Les Sages nous ont enseigné qu'avant le congrès, nous devons développer les désirs du sexe faible au moyen de certains préliminaires, nombreux et variés : tels que les divers embrassements et baisers; le *Nakhadana,* ou unguiculation; le *Dashana,* ou morsication; le *Keshagrahana,* ou manipulation des cheveux, etc. Ces sortes de caresses éveillent les sens et mettent l'esprit en belle humeur; ce sont des escarmouches qui préparent l'amant à prendre possession de la place.

Il y a huit *Alinganas,* ou modes d'embrassement, qui vont être ici énumérés et soigneusement décrits[1] :

1. *Vrikshadhirudha :* c'est l'embrassement qui simule l'action de grimper sur un arbre; on l'exécute comme suit. Le mari étant debout, la femme place un pied sur le pied de l'homme[2] et lève son autre jambe à la hauteur de sa cuisse, contre laquelle elle la presse. Alors, entourant sa taille de ses bras, elle l'étreint et le serre avec force, se penche sur lui, et le baise comme si elle suçait l'eau vitale.

2. *Tila-Tandula :* l'embrassement qui représente le mélange de la graine de sésame avec le riz vanné *(Tandul)*. L'homme et la femme,

---

1. Les *Alinganas* sont illustrés dans presque toutes les éditions de *Koka-Pandit,* ainsi que les principaux sujets dont il est traité dans le chapitre suivant. A Pounah et dans d'autres parties de l'Inde occidentale, il y a des artistes qui vivent de ce travail et qui vendent une série d'environ quatre-vingts postures coloriées, à raison de deux à quatre roupies chacune. L'arrangement est purement conventionnel, et les visages, aussi bien que les costumes, datent probablement de plusieurs siècles. Il y eut, toutefois, de la nouveauté, un jour qu'un malheureux officier anglo-indien, voulant envoyer à sa famille le portrait de sa femme, alla trouver l'un de nos artistes, avec cette naïve et admirable ignorance de tout ce qui est indigène, dont se targue de plus en plus sa race. On devine le résultat : la chevelure dorée et le joli minois d'une Anglaise sont maintenant à contempler dans une soixantaine d'attitudes hautement compromettantes, et continueront à l'être pour plusieurs générations.

2. L'un et l'autre ont les pieds nus, s'entend.

debout en face l'un de l'autre, s'appuient sein contre sein en se serrant étroitement la taille. Alors, en prenant bien soin de rester immobiles, ils approcheront le Lingam du Yoni, tous deux cachés par les vêtements, et se garderont d'interrompre le contact pendant un certain temps.

3. *Lalatika :* ainsi appelé parce que le front *(lalata)* touche le front. Cette position prête à l'expression d'une grande tendresse, par l'étroit enlacement des bras autour de la taille, les deux amants restant debout, et par le contact des sourcils, des joues, des yeux, des bouches, des seins et des estomacs.

4. *Jaghan-alingana :* c'est-à-dire « hanches, reins et cuisses ». Dans cet embrassement, le mari est assis[1] sur le tapis et la femme sur ses cuisses, l'embrassant et le baisant avec de grandes marques d'affection. Le mari, en lui rendant ses caresses, relève ses *Lungaden,* ou jupons, de sorte que son *Lungi,* ou chemise, puisse venir en contact avec ses vêtements à lui; elle a les cheveux en désordre, dans un état qui exprime la passion. Ou bien le mari, pour changer, peut s'asseoir sur les genoux de sa femme.

5. *Viddhaka :* les tétins touchant le corps

---

1. Par « assis », il faut toujours entendre les jambes croisées à la façon du tailleur sur son établi, ou accroupi comme un oiseau; le siège est une natte, ou un tapis, dans l'Inde, et un divan dans la partie de l'Orient plus rapprochée de l'Europe.

du mari. Celui-ci est assis tranquille, fermant les yeux; la femme, se mettant tout contre lui, passe son bras droit sur son épaule et appuie son sein sur le sien, le pressant avec force, tandis qu'il lui rend son embrassement avec une égale chaleur.

6. *Urupagudha :* ainsi appelé de l'emploi des cuisses. Dans cet embrassement, tous deux sont debout, passant leurs bras autour l'un de l'autre, et le mari place les jambes de sa femme entre les siennes, de façon que l'intérieur de ses cuisses soit en contact avec l'extérieur des cuisses de la femme. Comme dans les autres cas, tous deux se donnent des baisers de temps en temps. Cette position est particulière aux époux qui s'aiment passionnément.

7. *Dughdanir-alingana,* ou l' « embrassement lait et eau », aussi nommé *Kshiranira,* avec la même signification. Dans cette position, le mari est couché sur le lit, reposant sur un côté, droit ou gauche; la femme se jette auprès de lui, son visage contre le sien, et l'embrasse étroitement, leurs membres se touchant et se trouvant, pour ainsi dire, emboîtés les uns dans les autres. Ils doivent demeurer ainsi jusqu'à ce que tous deux sentent s'éveiller le désir.

8. *Vallari-vreshtita,* ou l' « embrassement pareil à l'entortillement du serpent autour de l'arbre »; il s'exécute comme suit. Tous deux étant debout, la femme s'attache à la

taille de son mari et passe sa jambe autour de sa cuisse, le baisant longuement et doucement jusqu'à ce qu'il retienne son souffle comme un homme qui souffre du froid. En fait, elle doit s'efforcer d'imiter la vigne serpentant autour de l'arbre qui la supporte.

Ici finissent les embrassements; on doit les étudier avec soin, et les faire suivre intelligemment des divers modes de baiser, qui sont l'accompagnement et la conclusion de ces *Alinganas*. Notez tout d'abord qu'il y a sept endroits spécialement destinés à l'osculation, et que tout le monde connaît. Premièrement, la lèvre inférieure. Deuxièmement, les deux yeux. Troisièmement, les deux joues. Quatrièmement, la tête[1]. Cinquièmement, la bouche. Sixièmement, les deux seins; et, septièmement, les épaules. Les gens de certains pays ont, il est vrai, d'autres endroits, qu'ils croient convenable de baiser; par exemple, les voluptueux de *Sata-desha* ont adopté la formule suivante :

1. En Europe, le baiser sur la tête et le front est une sorte de salut paternel; en règle générale, les hommes se baisent sur les deux joues, et ils ne baisent sur la bouche que leurs femmes ou leurs maîtresses. Ces distinctions sont ignorées des Orientaux.

Mais elle est loin d'être familière aux hommes de nos contrées, ni du monde en général.

En outre, il y a dix espèces différentes de baiser, dont chacune a sa propre dénomination, et nous allons les décrire en procédant par ordre :

1. Baiser *Milita,* ce qui signifie *Mishrita,* mélange ou réconciliation. Si la femme est en colère, pour tel léger motif que ce soit, elle ne baisera pas le visage de son mari; celui-ci devra donc imprimer de force ses lèvres sur les siennes et tenir les deux bouches unies jusqu'à ce que sa mauvaise humeur soit passée.

2. Baiser *Sphurita,* qui emporte l'idée d'arrachement et de vellication. La femme approche sa bouche de celle de son mari, qui lui baise la lèvre inférieure; mais elle la retire aussitôt avec une sorte de mouvement saccadé, et sans lui rendre son baiser.

3. Baiser *Ghatika :* une expression fréquemment employée par les poètes. C'est la femme qui le donne : excitée par la passion, elle couvre de ses mains les yeux de son mari, et, fermant les siens, introduit sa langue dans sa bouche et la remue avec un frétillement si doux, si cadencé, qu'il donne aussitôt l'idée d'une autre et plus complète forme de jouissance.

4. Baiser *Tiryak,* ou oblique. Le mari, debout derrière sa femme ou à son côté, lui

met sa main sous le menton, le saisit et le lève, jusqu'à ce qu'il fasse regarder son visage au ciel[1]; il prend alors sa lèvre inférieure entre ses dents pour la mordre et la mâcher gentiment.

5. *Uttaroshtha,* ou « baiser sur la lèvre supérieure ». Lorsque la femme est brûlante de désir, elle prend entre ses dents la lèvre inférieure de son mari, la mord et la mâche gentiment. Lui, de son côté, fait de même à la lèvre supérieure de sa femme. Tous deux arrivent ainsi au plus haut degré de passion.

6. *Pindita,* ou « baiser d'ensemble ». La femme saisit avec ses doigts les lèvres de son mari, passe sa langue dessus et les mord.

7. *Samputa,* ou « baiser en cassette ». Le mari baise l'intérieur de la bouche de sa femme, qui lui rend la pareille.

8. Baiser *Hanuvatra*[2]. Ici, on ne doit pas donner tout de suite le baiser, mais commencer par remuer les lèvres vis-à-vis l'un de l'autre d'une façon provocante, avec toutes sortes de petites simagrées, de malices, d'espiègleries.

---

1. Un joli spécimen de la verbosité du style hindou, que les Européens parlant les langues indigènes arrivent rarement à imiter. Nous dirions : « saisir son menton et lever son visage », ou, pour citer Ovide *(Métamorphoses)* :

> ..... *ad lumina lumen*
> *Attollens.....,*

ce que les Hindous comprendraient à peine. Il y aurait de nombreux exemples à l'appui de cette observation.

2. En sanscrit, *Hanu* signifie « mâchoire ».

Après quelques minutes de cet amusement, les bouches se rapprochent et l'on échange le baiser.

9. *Pratibodha,* ou « baiser d'éveil ». Lorsque le mari, après une absence de quelque temps, revient à la maison et trouve sa femme endormie sur le tapis dans une chambre solitaire, il applique ses lèvres sur les siennes, et augmente graduellement la pression jusqu'à ce qu'elle s'éveille. C'est là, bien certainement, la forme de baiser la plus agréable et qui laisse le plus doux souvenir.

10. Baiser *Samaushtha.* Il est donné par la femme, qui prend entre ses lèvres la bouche et les lèvres de son mari, et les presse avec sa langue, en dansant autour de lui.

Ici finissent les diverses formes de baisers. Nous allons maintenant décrire les différentes sortes de *Nakhadana,* c'est-à-dire de titillation et d'égratignure avec les ongles. Mais, comme on peut ignorer quels sont les endroits les plus convenables pour ce genre de caresses, nous dirons tout d'abord qu'il y a neuf parties sur lesquelles la pression peut s'exercer avec plus ou moins de force. Ce sont : premièrement, le cou; deuxièmement, les mains; troisièmement, les deux cuisses; quatrièmement, les deux seins; cinquièmement, le dos; sixièmement, les côtés; septièmement, les deux aisselles; huitièmement, toute la poitrine; neuvièmement, les deux lèvres; dixièmement, le *Mons Veneris* et tous les alentours du Yoni; et, onzièmement, les deux joues.

Il est, en outre, nécessaire de connaître les époques et les saisons où l'on peut se livrer à ce genre de manipulation. C'est : premièrement, lorsqu'il y a de la colère dans l'esprit de la femme; deuxièmement, lorsqu'on jouit d'elle pour la première fois ou qu'on prend sa virginité; troisièmement, lorsqu'on est sur le point de se séparer pour un peu de temps; quatrièmement, lorsqu'on se dispose à partir pour un pays lointain; cinquièmement, lorsqu'on a subi une grande perte d'argent; sixièmement, lorsqu'on éprouve un violent désir du congrès; et, septièmement, dans la saison de *Virati,* c'est-à-dire lorsqu'il n'y a pas de *Rati,* ou *furor venereus*[1]. A ces époques-là, il faut toujours appliquer les ongles aux endroits convenables.

Les ongles en bon état et bien conditionnés pour l'usage n'ont ni taches[2] ni lignes, sont propres, brillants, convexes[3], durs et intacts.

---

1. *Virati* signifie d'ordinaire : exemption de désirs et de passions charnelles et mondaines; extinction d'affections terrestres, etc.

2. Les Hindous ne paraissent pas avoir de superstition spéciale au sujet des taches blanches sur les ongles, qui, pour le commun peuple d'Europe, signifient « présents ».

3. On traduit quelquefois à tort ce mot par « croissant » ou augmentant. Il signifie : convexe; en fait, ce que nous appelons des ongles en noisette, opposés aux ongles plats et concaves.

Ces six qualités des ongles ont été spécifiées par les Sages dans les Shastras.

Il y a sept différentes manières d'appliquer les ongles; on peut se les rappeler au moyen du *Mandalaka* ou formule oblongue ci-après :

Churit [1]. Ardhachandra [2]. Mandalaka [3].

Anvartha [7].

Tarunahbava ou Rekha [4]. Mayurapada [5]. Shashapluta [6].

1. *Churit-nakhadana :* s'opère en posant les ongles sur les joues, la lèvre inférieure et les seins, sans y laisser aucune marque, mais en causant de l'horripilation, jusqu'à ce que tout le poil du corps de la femme se hérisse et qu'un frisson passe sur tous ses membres [1].

2. *Ardhachandra-nakhadana :* s'effectue en imprimant avec les ongles, sur le cou et les seins, une marque courbe, qui ressemble à une demi-lune *(Ardha-chandra)*.

---

1. Dans les idées superstitieuses d'Europe, lorsqu'on éprouve de l'horripilation sans cause apparente, c'est qu'on passe sur le sol où l'on doit être enterré. Ceci ne peut être le cas chez un peuple qui brûle ses morts dans des lieux fixes, très éloignés des demeures des vivants; pour les Musulmans, comme pour les Hindous, la « chair de poule », ainsi que nous disons familièrement, est le signe de toutes les passions.

3. *Mandalaka :* c'est l'application des ongles sur le visage pendant un certain temps, et jusqu'à ce qu'il en reste un signe.

4. *Tarunabhava* ou *Rekha* (ligne) : c'est le nom que les hommes versés dans les *Kama-Shastra* donnent aux marques d'ongles, lorsqu'elles dépassent deux ou trois largeurs de doigt, sur la tête, les cuisses et les seins de la femme.

5. Le *Mayurapada* (« patte de paon » ou griffe) se fait en posant le pouce sur un tétin et les quatre doigts sur le sein adjacent; on presse en même temps les ongles, jusqu'à ce qu'il y ait une marque pareille à la trace que laisse le paon lorsqu'il marche sur de la boue.

6. *Shasha-pluta,* ou le « saut du lièvre »; c'est la marque imprimée sur la partie obscure du sein, à l'exclusion de toute autre.

7. *Anvartha-nakhadana :* c'est le nom qu'on donne aux trois marques ou égratignures profondes faites par les ongles des trois premiers doigts sur le dos, le sein et les alentours du Yoni. Ce *Nakhadana* (ou unguiculation) est tout à fait de mise lorsqu'on part pour un pays éloigné : il sert, alors, de garde-note ou de mémorandum.

L'homme expert en volupté, qui fait usage de ses ongles comme il est dit ci-dessus, en y mettant la furie de la passion, satisfait pleinement les désirs sexuels de la femme; en fait, il n'est rien peut-être de plus délicieux, soit pour le mari, soit pour la femme, que la pratique bien comprise de l'unguiculation.

En outre, il est nécessaire de bien posséder l'art de la morsication. Les personnes qui ont étudié à fond le commerce sexuel sont d'avis qu'il faut appliquer les dents aux mêmes endroits que les ongles, à l'exception, toutefois, des yeux, de la lèvre supérieure et de la langue. De plus, il faut presser les dents jusqu'à ce que la femme crie : « Hou! hou! »[1], indiquant que c'est assez.

Les dents à préférer chez le mari sont celles dont la couleur est en quelque sorte rose, et non d'un blanc mat[2]; qui sont brillantes et propres, fortes, pointues et courtes, et qui sont régulièrement rangées. Par contre, sont mauvaises les dents noires et malpropres, étroites, longues et projetées en avant, comme si elles voulaient déserter la bouche[3].

Comme pour l'unguiculation, il y a sept différentes manières d'appliquer les dents;

---

1. Cette interjection marque ordinairement chagrin ou douleur, et c'est peut-être dans le second sens qu'on l'emploie ici.

2. L'auteur est d'accord avec les médecins modernes les mieux accrédités, qui affirment que le blanc mat est une mauvaise couleur, sujette aux caries et facile à se ternir.

3. Le prognathisme et le macrodontisme sont inconnues dans les hautes castes hindoues.

on pourra se les rappeler au moyen du *Mandalaka* ou formule oblongue ci-après[1] :

Gudhaka [1]. Uchun [2]. Pravalamani [3].

Bindu [4].

Bindumala [5]. Khandabhrak [6]. Kolacharcha [7].

1. *Gudhaka-dashana*, ou « morsure secrète » : c'est appliquer les dents exclusivement sur la partie interne ou rouge[2] de la lèvre d'une femme, sans laisser de marque extérieure qui puisse être vue du monde.

2. *Uchun-dashana*. Suivant les Sages, ce mot désigne la morsure faite sur n'importe quel point de la lèvre ou des joues d'une femme.

3. *Pravalamani-dashana*, ou « morsure de corail » : c'est cette merveilleuse union de la dent de l'homme et de la lèvre de la femme qui change le désir en une flamme brûlante : cela ne se peut décrire, et pour l'exécuter, il ne faut rien moins qu'une longue expérience; une pratique de quelques jours ne suffirait pas.

---

1. Aussi nommée *Dashanagramandal,* ou cercle des principales morsures.

2. Les Hindous de couleur foncée, comme les Africains, n'ont pas les lèvres rouges à l'extérieur, et, chose curieuse, les Arabes sont grands admirateurs des lèvres brunes.

4. *Bindu-dashana* (morsure en forme de « point » ou de « goutte ») : c'est la marque laissée par deux dents de devant du mari sur la lèvre inférieure de la femme, ou sur l'endroit où est tracé le sourcil.

5. *Bindu-mala,* ou « rosaire », ou « rangée de points » ou de « gouttes » : c'est la même chose que précédemment, si ce n'est que toutes les dents de devant sont mises en œuvre, de manière à former une ligne régulière de marques.

6. *Khandabhrak :* c'est la grappe ou multitude d'empreintes faites par les dents du mari sur le sourcil et la joue, le cou et le sein de la femme. Si l'on arrive à les disposer sur le corps comme le *Mandalaka,* ou *Dashanagra-mandal* (la figure oblongue en forme de bouche tracée ci-dessus), sa beauté en sera grandement augmentée.

7. *Kolacharcha :* nom donné par les Sages aux marques profondes et durables que le mari, dans la chaleur de la passion et la douleur où il est de partir pour un long voyage, laisse de ses dents sur le corps de sa femme. Après son départ, elle les regardera et pensera souvent à lui, le cœur gros de soupirs.

Assez pour les différents modes de morsication. Il convient à présent d'étudier les diverses façons de *Keshagrahana,* ou manipulation des cheveux, qui, sur une tête féminine, doivent être doux, épais, noirs et ondulés, ni frisés ni droits.

L'un des moyens d'exciter un chaud désir chez une femme, c'est, au moment où elle s'éveille, de saisir doucement et de manier ses cheveux suivant la méthode indiquée par les *Kama-Shastra.*

Les *Keshagrahana* sont de quatre sortes, qu'on peut se rappeler au moyen de la formule suivante :

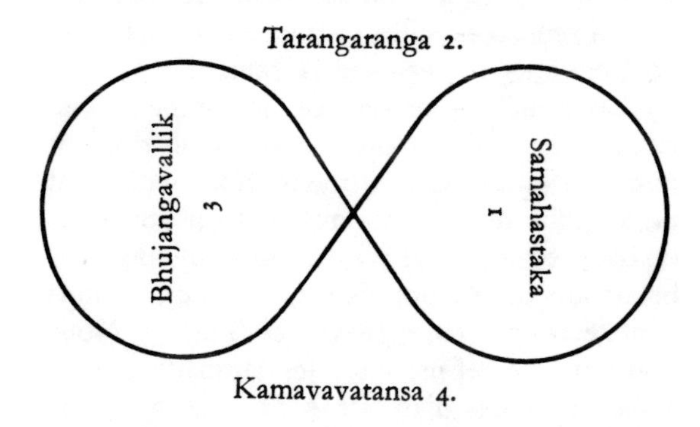

1. *Samahastaka-keshagrahana,* ou la « saisie des cheveux par les deux mains » : le mari prend entre ses deux paumes la chevelure de sa femme, derrière sa tête, et lui baise en même temps la lèvre inférieure.

2. *Tarangaranga-keshagrahana,* ou le « baiser de la chevelure en forme onduleuse (ou sinueuse) » : le mari attire à lui sa femme par le chignon, et la baise en même temps.

3. *Bhujangavallika,* ou le « tour du dragon »[1] : le mari, excité par la perspective d'un prochain congrès sexuel, saisit amoureusement le chignon de sa femme, et en même temps l'embrasse avec force. Tous deux sont debout, et leurs jambes sont entrelacées. C'est l'un des badinages les plus excitants.

4. *Kamavatansa-keshagrahana,* ou la « saisie du toupet d'amour[2] » : pendant l'acte de copulation, le mari saisit des deux mains la chevelure de sa femme au-dessus des oreilles; elle lui rend la pareille, et tous deux échangent de fréquents baisers sur la bouche.

Tels sont les modes de jouissance extérieure, décrits dans l'ordre exact où ils doivent être pratiqués. On a mentionné seulement ceux qui sont bien connus et bien appréciés de tout le monde. Il y en a une foule d'autres beaucoup moins populaires, et qu'on a omis afin de ne pas trop grossir ce Traité[3]. Nous pouvons, toutefois, citer les suivants :

Les caresses d'amour sont une sorte de

---

1. *Bhujanga* est un dragon, un serpent; ou encore un homme qui entretient une maîtresse.

2. *Avatansa* signifie crête, houppe ou ornement d'oreille.

3. Le lecteur se rappellera que les Hindous, en général, sont une race de légumistes, qui boivent rarement des stimulants comme le vin, la bière ou les spiritueux, ni même le thé, le café et le chocolat. Ils regardent avec horreur le mangeur de viande, qui fait de son ventre le tombeau de cadavres d'animaux; et ils méprisent tous les narcotiques, sauf le tabac, laissant l'opium et le *Bhang,* on haschisch, aux gens de la plus basse classe et aux vulgaires

bataille, où le plus fort remporte la victoire. Pour soutenir avec honneur ce combat, il faut savoir qu'il y a deux formes d'attaque, désignées sous les noms de *Karatadana* et de *Sitkreutoddesha*.

Karatadana, comme le mot l'indique[1], est une série de tapes légères et de petits coups avec la main, par le mari ou par la femme, sur certains membres de l'un ou de l'autre. Et dans ce mode de caresses, il y a quatre divisions, que l'homme applique à la femme :

1. *Prasritahasta :* il tape avec la paume de la main ouverte.

2. *Uttanyahasta :* c'est la même chose renversée : il tape avec le dos de la main.

3. *Mushti :* il frappe gentiment avec la partie inférieure ou charnue de la main fermée.

4. *Sampatahasta :* il tape avec la partie

---

débauchés. Dans ces conditions, il est évident que leurs désirs, une fois l'effervescence de la première jeunesse passée, doivent être comparativement froids, et que les deux sexes, le plus faible surtout, ont besoin d'être excités, avant le coït, par une infinie variété de stimulants, qui manqueraient totalement leur but s'il s'agissait d'Européens. C'est ainsi que l'on s'explique leur foi dans le poivre, le gingembre, la girofle, la cannelle et autres épices, qu'ils appellent *Garm Masala,* ou condiments chauds; tous ces excitants n'auraient qu'un pauvre effet sur l'Anglais mangeur de bœuf et buveur de bière, mais leur action est suffisamment énergique sur un peuple de buveurs d'eau et de mangeurs de riz et de légumes.

1. *Kara,* main, et *Tadana,* frapper.

intérieure de la main, légèrement cintrée à cette intention.

Et ici peuvent être spécifiés les divers membres sur lesquels on doit opérer. Premièrement, la chair au-dessus des côtes, avec le nº 1. Deuxièmement, le Mont de Vénus et les alentours du Yoni, aussi avec le nº 1. Troisièmement, la poitrine et les seins, avec le nº 2. Quatrièmement, le dos et la hanche, avec le nº 3. Cinquièmement, la tête, avec le nº 4.

Il y a aussi quatre divisions correspondantes de pratiques usitées par les femmes :

1. *Santanika :* nom donné par les Sages à l'acte d'une femme qui tape gentiment avec le poing fermé la poitrine de son mari, lorsque les deux ne font plus qu'un, de façon à augmenter son plaisir.

2. *Pataka :* la femme, aussi durant le congrès, tape gentiment son mari avec la main ouverte.

3. *Bindumala :* les hommes appellent ainsi les chiquenaudes que la femme, pendant le coït, applique avec le pouce seulement sur le corps de son mari.

4. *Kundala :* c'est le nom donné par les anciens poètes aux chiquenaudes que la femme, pendant le coït, applique sur le corps de son mari avec le pouce et l'index seulement.

Et maintenant, parlons du *Sitkriti,* ou son inarticulé produit par le passage du souffle entre les dents fermées; c'est le privilège spécial et la prérogative des femmes. Les Sages le divisent en cinq sortes :

1. *Hinkriti :* le son profond et grave, tel que : « Heunn! heunn! heunn! » « Hinn! hinn! hinn! »[1] produit dans le nez et la bouche avec une très faible coopération du premier de ces organes.

2. *Stanita :* le sourd grondement, comme celui d'un tonnerre lointain, exprimé par « Ha! ha! » ou par « Hann! hann! hann! », et produit par la gorge sans la coopération des muscles nasaux.

3. *Sitkriti :* l'expiration ou émission du souffle, pareille au sifflement d'un serpent, exprimé par : « Schann! schann! » ou : « Schish! schish! » et produit seulement par la bouche.

4. *Utkriti :* le son craquant, comme celui d'un bambou qu'on brise, exprimé par : « Tzatt! tzatt! »; il se forme en appliquant le bout de la langue au palais[2] et en la remuant aussi vite que possible, tout en prononçant l'interjection.

5. *Bhavakriti :* le son retentissant, comme la chute de lourdes gouttes de pluie, exprimé par : « Tzap! tzap! » et produit par les lèvres; mais il ne doit être émis qu'au moment du congrès.

---

1. Dans toutes ces interjections, les liquides finales sont fortement nasales.
2. A peu près comme un Anglais qui excite un cheval.

Ces différents *Sitkritis,* dans la bouche d'une femme au moment de la jouissance, ressemblent respectivement au cri de la caille *(Lava),* du coucou indien *(Kokila),* du pigeon à cou marbré *(Kapota),* de l'oie *Hansa* et du paon. Il convient spécialement de les émettre lorsque le mari baise, mord et mâche la lèvre inférieure de sa femme; la douceur de l'émission ajoute grandement à la jouissance et favorise l'accomplissement de l'acte sexuel.

En outre, soient enseignées aux hommes les caractéristiques des *Ashtamahanayika,* ou des huit grandes formes de *Nayika*[1] :

1. *Khanditanayika :* lorsque le mari porte sur son corps toutes les marques de jouissance sexuelle, produites par le congrès avec une épouse rivale; et lorsque, les yeux rougis par l'insomnie, il revient à sa bien-aimée tremblante de crainte et agitée, la flatte, lui dit de douces paroles afin de l'inviter au congrès, qu'elle refuse d'abord pour céder ensuite. Tel est le nom que lui ont donné les grands poètes des anciens temps.

2. *Vasakasajjita :* c'est la qualification appliquée par les Sages à l'épouse qui, ayant

---

1. Une maîtresse, ou une bien-aimée : féminin de *Nayak,* qui signifie chef, amant, héros d'une pièce, ou encore le principal joyau d'un collier; de là le mot corrompu *Naïk,* caporal dans l'armée indigène.

étendu un lit élégant et moelleux dans une chambre délicieusement ornée, s'y tient assise le soir dans l'attente de son mari : attente anxieuse qui lui fait tantôt fermer à demi les yeux, tantôt les fixer sur la porte.

3. *Kalahantarita,* suivant les Sages, est la dénomination d'une femme qui, lorsque son époux, après l'avoir gravement injuriée, tombe à ses pieds en demandant pardon, lui répond rudement et avec colère, le chasse de sa présence et déclare qu'elle ne veut plus le revoir; mais qui ensuite, se repentant, déplore l'ennui et les chagrins de la séparation et se tranquillise enfin dans l'espoir de se réconcilier.

4. *Abhisarika* est la femme qui, sous l'empire d'un furieux accès de passion, s'habille et va la nuit, sans honte ni pudeur, à la maison d'un étranger, pour avoir avec lui le commerce charnel.

5. *Vipralabdha* est la femme désappointée, qui, ayant envoyé une messagère à un étranger pour lui donner rendez-vous à certain endroit, s'y rend tout émue et agitée de la perspective du congrès, mais qui voit sa messagère revenir seule, sans l'amant, ce qui la met dans un état de fièvre.

6. *Viyogini* est la femme mélancolique qui, durant l'absence de son mari retenu en pays lointain, respire les parfums excitants[1] du

---

1. Il y a, en Orient, nombre de théories sur ce sujet. Par exemple, la fleur de narcisse passe universellement pour

bois de santal et autres substances odoriférantes, et, en contemplant la fleur de lotus et le clair de lune, éclate en sanglots.

7. *Svadhinapurvapatika* est le nom donné à la femme dont le mari, au lieu de satisfaire ses amoureux désirs et d'étudier ses besoins charnels, consacre tout son temps à des méditations philosophiques.

8. *Utkanthita,* suivant les meilleurs poètes, est la femme qui aime tendrement son mari, dont les yeux sont clairs et vifs, qui s'est parée de joyaux et de guirlandes, connaissant bien les goûts de l'homme, et qui, brûlant de désir, attend sa venue, étendue sur des coussins dans une chambre appropriée au plaisir et somptueusement ornée de miroirs et de peintures[1].

---

exciter la femme et déprimer l'homme; celle de mimosa donne une essence que les Arabes appellent *Fitnah,* « trouble » ou « révolte », parce que son action influe directement et puissamment sur les passions de leurs femmes, comme l'Espagnol *viento de las mujeres.*

1. Ces huit *Nayikas* sont empruntées au langage du drame hindou.

CHAPITRE X

Des jouissances internes et de leurs différentes formes

PAR « jouissance interne » il faut entendre l'art du congrès, qui suit les préliminaires externes décrits dans le précédent chapitre. Ces embrassements, baisers et manipulations diverses doivent toujours être pratiqués conformément au goût du mari et de la femme, et si on les exécute suivant la lettre des *Shastra,* les passions de la femme en seront surexcitées, et son Yoni, plus moelleux, plus élastique, sera tout préparé pour la copulation charnelle.

On peut voir, par les versets suivants, combien il y a de science et d'art dans une matière qui paraît si simple au vulgaire ignorant :

« Quel est le remède, lorsqu'une femme est plus forte qu'un homme ? Si vigoureuse qu'elle soit, elle n'aura pas plus tôt ses jambes écartées, qu'elle perdra sa force de passion et sera satisfaite.

« Par ainsi le Yoni, de serré et ferme qu'il était, devient lâche et mou : que le mari, en conséquence, ramène l'une contre l'autre les cuisses de la femme, et elle sera en état de lutter avec lui pendant le congrès. »

« Et si une femme n'est âgée que de douze ou treize ans, le mari étant d'âge mûr et n'ayant plus sa première vigueur, que faire pour les égaliser ?

« En pareil cas, il faut écarter autant que possible les jambes de la femme, de manière à l'affaiblir, et par ce moyen l'homme pourra combattre à armes égales. »

Il y a cinq principaux *Bandha* ou *Asana* (formes ou postures de congrès), qu'on verra dans la figure ci-contre, et dont chacun sera décrit successivement et dans l'ordre convenable[1].

---

1. Le lecteur observera que l'extrême flexibilité des membres de l'Hindou lui permet des attitudes absolument impossibles aux Européens ; sa principale préoccupation, dans le congrès, est d'éviter une tension des muscles qui abrégerait la période de jouissance. Pour ce motif, même au cours de l'action, il s'amusera à causer, à caresser sa

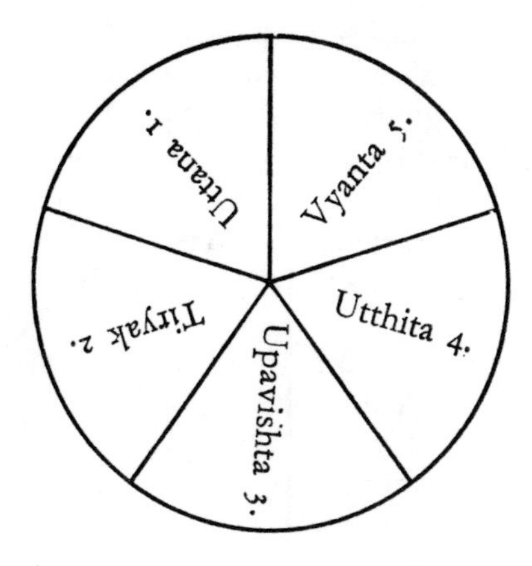

(A) *Uttana-bandha* (position renversée) est la grande division, ainsi dénommée par les hommes experts en l'art d'amour : la femme couchée sur le dos, et le mari se penchant

---

femme, à manger, à boire, à mâcher du *Pan-supari,* et peut-être à fumer.

Dégagées d'un excessif verbiage, les « façons de faire » de l'Hindou sont assez simples. Les cinq grandes divisions représentent : 1° La femme couchée sur le dos; 2° Couchée sur le côté (droit ou gauche); 3° Assise de diverses manières; 4° Debout, ou, comme on dit vulgairement, toute droite; 5° Couchée sur la poitrine et l'estomac. De la première division, il y a onze subdivisions; de la deuxième, trois; de la troisième, dix; de la quatrième, trois, et de la cinquième, deux, faisant un total de vingt-neuf, et avec trois formes de *Purushayita,* un total général de trente-deux.

Comme les traités européens du même genre, l'*Ananga-Ranga* est très bref et laisse à désirer, sauf pour les principales positions, et l'on a peine à le comprendre sans figures. Il y a des postures qui semblent identiques avec d'autres : au moins le texte ne donne-t-il aucune distinction.

sur elle, accroupi sur ses jarrets. Mais est-ce là tout ce qu'on en peut dire? Non! non! il y a onze subdivisions, comme le fait voir le tableau suivant :

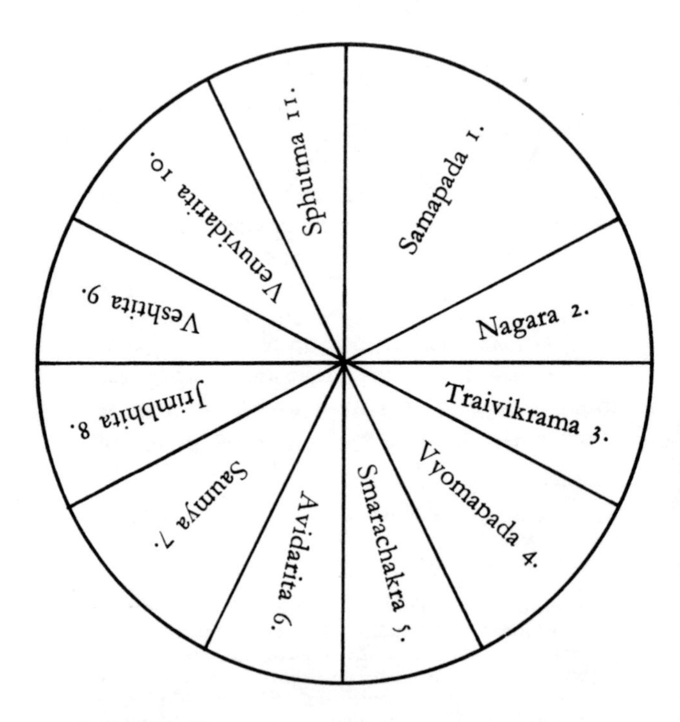

De plus, il est évident que le Yoni de la femme hindoue doit être situé exceptionnellement haut : autrement plusieurs des postures seraient impossibles. Ces variétés de conformation sont excessivement intéressantes pour l'ethnologiste, mais la matière est trop étendue pour qu'on puisse la traiter ici. Le sujet de la constriction du Yoni est aussi

Un mot, donc, sur ces onze subdivisions :

1. *Samapada-uttana-bandha :* le mari place sa femme sur le dos, lui lève les deux jambes et, les mettant sur ses épaules, se penche sur elle et en jouit.

2. *Nagara-uttana-bandha :* le mari place sa femme sur le dos, se met entre ses jambes, les lui lève toutes deux en les tenant contre ses reins, et jouit d'elle dans cette position.

3. *Traivikrama-uttana-bandha :* l'une des jambes de la femme reste appuyée sur le lit ou sur le tapis, l'autre étant posée sur la tête du mari, qui se supporte avec les deux mains. Cette position est vraiment admirable.

4. *Vyomapada-uttana-bandha :* la femme, couchée sur le dos, lève avec ses mains ses deux jambes en les amenant le plus près possible de sa chevelure; le mari alors, se penchant sur elle, met ses deux mains sur ses seins et la besogne.

5. *Smarachakrasana,* ou la position de la roue de *Kama,* une façon très appréciée du connaisseur : le mari se met entre les jambes de sa femme, étend ses bras à ses deux côtés aussi loin qu'il peut, et la besogne ainsi.

6. *Avidarita :* la femme élève ses deux

---

ethnologiquement de grande importance, comme le lecteur le verra quand il en sera au paragraphe. Il a été déjà fait allusion à la pratique hindoue d'influer sur la conception en attirant les yeux du père et de la mère sur de belles peintures; c'était un usage commun chez les Anciens, mais qui est aujourd'hui sottement négligé. (Voy. chap. VIII.)

jambes, de manière qu'elles puissent toucher la poitrine de son mari, qui, placé entre ses cuisses, l'embrasse et la besogne.

7. *Saumya-bandha* : c'est le nom donné par les vieux poètes à une forme de congrès, fort goûtée par les plus habiles adeptes des *Kama-Shastra*. La femme est sur le dos, et le mari, comme d'usage, est accroupi[1]; il passe ses deux mains sous le dos de sa femme, l'embrassant étroitement, tandis que, de son côté, elle lui étreint fortement le cou.

8. *Jrimbhita-asana* : afin de courber le corps de sa femme en forme d'arc, le mari place des oreillers ou des coussins sous ses hanches et sa tête; il soulève alors le centre du plaisir et y pénètre en s'agenouillant sur un coussin. C'est là une admirable forme de congrès, et qui fait les délices des deux acteurs.

9. *Veshtita-asana* : la femme est couchée sur le dos, jambes croisées[2], et lève un peu ses pieds; cette position est très favorable à ceux qui brûlent de désir.

10. *Venuvidarita* : la femme, couchée sur le dos, met une jambe sur l'épaule de son mari, l'autre reposant sur le lit ou le tapis.

11. *Sphutma-uttana-bandha* : le mari, après intromission et pénétration, soulève les jambes

---

1. Non comme un tailleur, mais sur les deux pieds, à peu près comme un oiseau : position impossible aux Européens.

2. Inintelligible sans figure.

de sa femme, toujours couchée sur le dos, et lui serre étroitement les cuisses l'une contre l'autre.

Ici finissent les onze formes d'*Uttana-bandha*. Passons au *Tiryak* :

(B) *Tiryak* (c'est-à-dire position de côté, de travers), dont l'essence consiste en ce que la femme est couchée sur le côté. De cette division, il y a trois subdivisions :

1. *Vinaka-tiryak-bandha* : le mari, se mettant le long de sa femme, lui prend une de ses jambes sur sa hanche, laissant reposer l'autre sur le lit ou le tapis. Cet *Asana* (position) ne convient que pour une femme déjà grande; avec une toute jeune personne, le résultat ne serait pas tout à fait satisfaisant.

2. *Samputa-tiryak-bandha* : l'homme et la femme sont couchés droits sur le côté, sans aucun mouvement ni changement dans la position des membres de la femme.

3. *Karkata-tiryak-bandha* : tous deux étant sur le côté, le mari s'insinue entre les cuisses de sa femme, dont l'une est sous lui et l'autre sur son flanc, un peu au-dessous de la poitrine.

Ici finissent les trois formes de *Tiryak-bandha*. Passons à l'*Upavistha* :

(C) *Upavistha* (c'est-à-dire position assise). De cette division, il y a dix subdivisions indiquées par la figure ci-après :

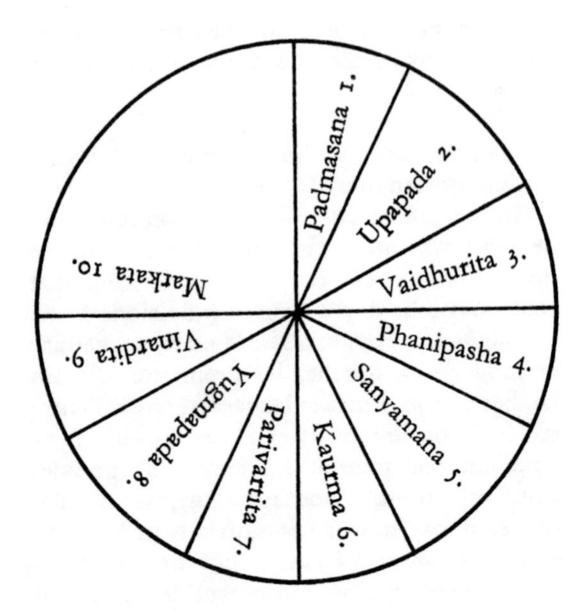

1. *Padm-asana* : le mari, dans cette position favorite, est assis jambes croisées sur le lit ou le tapis ; il prend sa femme sur ses genoux et pose ses mains sur ses épaules.

2. *Upapad-asana* : dans cette posture, tous deux étant assis, la femme soulève légèrement une jambe en mettant la main dessous, et le mari la besogne.

3. *Vaidhurit-asana* : le mari embrasse très étroitement le cou de sa femme, qui fait de même pour lui.

4. *Phanipash-asana :* le mari tient les pieds de la femme, et la femme les pieds du mari.

5. *Sanyaman-asana :* le mari prend les deux jambes de sa femme sous ses bras, dans le pli du coude, et tient son cou avec ses mains.

6. *Kaurmak-asana* (ou posture de la tortue) : le mari est assis de telle façon que sa bouche, ses mains et ses jambes touchent les membres correspondants de sa femme.

7. *Parivartit-asana :* en plus du mutuel contact de la bouche, des bras et des jambes, le mari doit fréquemment prendre les deux jambes de sa femme sous ses bras, dans le pli du coude.

8. *Yugmapad-asana :* c'est le nom donné par les meilleurs poètes à la position dans laquelle le mari s'assied les jambes écartées, et, après intromission et pénétration, presse les cuisses de sa femme l'une contre l'autre.

9. *Vinarditasana :* une forme possible seulement à un homme très fort avec une femme très légère ; il la soulève en prenant ses deux jambes sous ses bras, dans le pli du coude, et la balance de gauche à droite, et non en avant et en arrière, jusqu'à parfaite conclusion.

10. *Markatasana :* même position que le nº 9 ; ici, toutefois, le mari balance sa femme en droite ligne devant lui, c'est-à-dire en avant et en arrière, et non de côté.

Ici finissent les formes d'*Upavistha,* ou posture assise. Vient ensuite :

(D) *Utthita,* ou posture debout, qui admet trois subdivisions :

1. *Janu-kura-utthita-bandha* (c'est-à-dire posture debout, genou et coude) : ceci encore exige dans l'homme une grande force corporelle. Tous deux sont debout l'un devant l'autre, et le mari, passant ses deux bras sous les genoux de sa femme, la supporte sous la saignée, ou dans le pli du coude; il l'élève alors à la hauteur de sa taille et la besogne, tandis qu'elle se cramponne à son cou par ses deux bras.

2. *Hari-vikrama-utthita-bandha :* le mari soulève seulement une jambe de sa femme, l'autre restant sur le sol. C'est une position délicieuse pour les jeunes femmes : elles se verront bientôt ravies au septième ciel.

3. *Kirti-utthita-bandha :* ceci exige de la force chez l'homme, mais pas autant que dans les deux précédentes façons. La femme, se cramponnant des mains et des jambes à la taille de son mari, est pour ainsi dire pendue à lui, et il la supporte en plaçant ses avant-bras sous ses hanches.

Ici finissent les formes d'*Utthita,* ou posture debout. Nous arrivons au *Vyanta-bandha :*

(E) *Vyanta-bandha :* c'est-à-dire congrès avec une femme courbée en avant sur le lit ou le tapis. De cet *Asana,* il n'existe que deux subdivisions bien connues :

1. *Dhenuka-vyanta-bandha* (posture de la

vache)[1] : la femme se met à quatre pattes, supportée par ses mains et ses pieds (non par ses genoux); le mari, s'approchant par-derrière, lui tombe sur la croupe et la besogne à la façon du taureau. Il y a, dans cette forme, un grand mérite religieux.

2. *Aybha-vyanta-bandha* (ou *Gajasawa,* posture de l'éléphant)[2]. La femme se couche de façon que sa figure, sa poitrine, son estomac et ses cuisses touchent ensemble le lit ou le tapis; et le mari, s'étendant sur elle, courbé comme un éléphant, avec la chute des reins très rentrée, l'entreprend en dessous et opère l'insertion.

« O Rajah! dit l'archi-poète Kalyana Malla, il y a bien d'autres formes de congrès, telles que *Harinasana, Sukrasana, Gardhabasana,* etc.; mais elles ne sont pas connues du peuple; elles sont d'ailleurs inutiles, très difficiles à exécuter, quelquefois même entachées de vices qui les feraient exclure ou prohiber : aussi ne vous les ai-je pas relatées. Mais si vous désirez apprendre quelque chose de plus en fait de postures,

1. Il n'y a rien d'insultant dans la comparaison avec la vache, qui est adorée par les Hindous.

2. L'idée classique de la copulation des éléphants, *a tergo,* comme les autres rétromingents, n'a jamais eu cours chez les Hindous, qui connaissent trop bien les habitudes de ces animaux. Leur coït, il n'est pas besoin de le dire, est celui des autres quadrupèdes.

veuillez demander : votre serviteur essayera de satisfaire votre curiosité.

— Très bien ! s'écria le roi ; je tiens beaucoup à ce que vous me décriviez le *Purushayita-bandha*.

— Écoutez, ô Rajah ! répondit le poète ; je m'en vais relater tout ce qu'il faut savoir de cette forme de congrès. »

Purushayita-bandha[1] est le contraire de la pratique ordinaire. Ici, l'homme, couché sur le dos, attire sa femme sur lui, et en jouit. Cette position est spécialement avantageuse lorsque l'homme, épuisé de fatigue, n'est plus capable d'efforts musculaires, et que la femme, pleine encore de l'eau vitale, n'est pas satisfaite. Elle doit, en conséquence, faire coucher son mari sur le lit ou le tapis, monter sur lui et se satisfaire. Cette forme de congrès a trois subdivisions :

1. *Viparita-bandha*, ou « position contraire » : la femme est couchée droite sur le corps étendu de son mari, les seins sur sa poitrine ; elle lui presse la taille avec les mains et, remuant vivement ses hanches en divers sens, le besogne.

---

1. Les musulmans ont cette position en grande horreur ; ils disent communément : « Maudit soit celui qui fait de lui-même la terre, et de la femme le ciel ! »

2. *Purushayita-bhramara-bandha* (« comme la grande abeille ») : la femme, après avoir étendu son mari tout de son long sur le lit ou le tapis, s'assied à plat sur ses cuisses, s'embroche et serre étroitement les jambes; puis, remuant en forme circulaire, comme si elle battait le beurre, elle besogne son mari et se satisfait pleinement.

3. *Utthita-uttana-bandha.* Si l'opération qui précède ne l'a pas encore satisfaite, la femme fera coucher son mari sur le dos, et s'asseyant sur ses cuisses les jambes croisées, saisira son Lingam et se l'introduira; puis elle remuera de haut en bas et de bas en haut, s'avançant et se reculant : elle se trouvera tout à fait bien de cette méthode.

Tandis que, dans toutes ces formes de *Purushayita,* elle renversera l'ordre naturel, la femme devra rentrer son souffle de la façon appelée *Sitkara;* elle sourira gentiment, elle fera montre d'une sorte de demi-pudeur qui lui donnera un air gracieux, séduisant au possible. Après quoi elle interpellera son époux : « O mon chéri! ô petit coquin! cette fois tu m'appartiens, tu es mon esclave, je t'ai complètement battu au combat d'amour! » Le mari lui manipulera les cheveux suivant les règles de l'art, l'embrassera, lui baisera la lèvre inférieure; là-dessus, tous ses membres se détendront, elle fermera les yeux et tombera, anéantie de plaisir.

De plus, toutes les fois qu'elle goûtera *Purushayita,* la femme devra se rappeler qu'à défaut d'un effort spécial de volonté de sa part, le plaisir de son mari ne sera point parfait. Pour qu'il le soit, elle devra toujours s'efforcer de fermer et de resserrer son Yoni, de telle sorte qu'il se moule au Lingam[1], se dilatant et se comprimant à volonté, en un mot, pareil à la main de la laitière *Gopala,* qui trait la vache. Ceci ne peut s'apprendre que par une longue pratique, et spécialement en faisant passer sa volonté dans l'organe lui-même, comme font les hommes qui travaillent à s'aiguiser le sens de l'ouïe[2] ou du toucher. Ce faisant, elle répétera mentalement : « Kamadeva! Kamadeva! », afin qu'une bénédiction descende sur son entreprise. Et elle sera aise

---

1. Chez certaines races, les muscles constricteurs du vagin sont anormalement développés. En Abyssinie, par exemple, une femme peut les faire fonctionner à ce point que l'homme en éprouve de la douleur, et lorsqu'elle s'assied sur ses cuisses, elle peut amener l'orgasme sans mouvoir aucune autre partie de son corps. Une telle artiste est appelée par les Arabes *Kabbazah,* c'est-à-dire littéralement « qui serre », et il n'est pas surprenant que les marchands d'esclaves la payent un bon prix. Toutes les femmes ont plus ou moins cette faculté, mais elles la négligent complètement; et le fait, c'est qu'il y a en Europe des pays où l'on n'en a jamais entendu parler. Les gens de ces pays-là feraient bien de prendre pour eux, tout spécialement, les sages conseils du poète Kalyana Malla.

2. C'est ainsi, dit-on, qu'Orsini, le conspirateur, employait les longues heures de sa captivité à cultiver ce sens de l'ouïe; il en était arrivé à distinguer des sons que d'autres hommes n'entendaient même pas confusément.

de savoir que l'art, une fois appris, ne se perd plus. Son mari, alors, l'appréciera au-dessus de toutes les femmes, et il ne l'échangerait pas contre la plus belle *Rani* (reine) des trois mondes : tant est précieux à l'homme le Yoni qui se resserre!

Observons maintenant qu'il y a des femmes, de certaines catégories ou dans certaines conditions, à qui les Sages interdisent absolument *Purushayita;* nous mentionnerons les principales exceptions. Premièrement, la femme *Karini*. Deuxièmement, la *Harini*. Troisièmement, celle qui est enceinte. Quatrièmement, celle qui relève de maladie. Cinquièmement, celle qui est mince et maigre, parce que l'effort serait trop grand pour elle. Sixièmement, celle qui souffre de fièvre ou de quelque autre affection débilitante. Septièmement, une vierge; et, huitièmement, une fille qui n'est pas encore arrivée à la puberté.

Et à présent qu'est dûment terminé ce chapitre des jouissances internes, il est bon de savoir que si le mari et la femme vivent ensemble en accord parfait, comme une seule âme dans un seul corps, ils seront heureux en ce monde et dans le monde à venir. Leurs bonnes et charitables actions serviront d'exemples à l'humanité, et leur affection réciproque sera le gage de leur salut. Personne encore n'avait écrit un livre pour prévenir la séparation des époux et leur montrer comment ils peuvent passer leur vie dans l'union. Voyant cela, j'ai eu pitié d'eux, et j'ai composé ce traité, l'offrant au dieu *Pandurang*.

La principale cause de la séparation des époux, celle qui jette le mari dans les bras de femmes étrangères, et la femme dans ceux d'hommes étrangers, c'est l'absence de plaisirs variés et la monotonie qui suit la possession. Ceci est hors de doute. La monotonie engendre la satiété, et la satiété le dégoût du congrès, soit chez l'un, soit chez l'autre; poussé par de mauvais sentiments, le mari ou la femme cède à la tentation, et l'autre suit, par jalousie. Car il arrive rarement que tous deux s'aiment également et dans une exacte proportion : ce qui rend l'un des deux plus facile que l'autre à égarer. De telles séparations résultent la polygamie, les adultères, les avortements et toutes sortes de vices; et non seulement l'époux ou l'épouse coupable tombe dans l'abîme, mais encore ils font descendre les mânes de leurs ancêtres décédés, du séjour des mortels béatifiés, soit dans l'enfer, soit dans ce bas monde pour une nouvelle existence. Bien pénétré des causes de ces malheurs, j'ai, dans ce livre, montré de quelle façon le mari, en variant les plaisirs de sa femme, peut vivre avec elle comme avec trente-deux femmes différentes, lui procurant des jouissances toujours nouvelles qui rendent la satiété impossible. J'ai aussi enseigné tous les arts, tous les mystères par la connaissance desquels la femme se maintient pure, belle et agréable aux yeux de son mari. Qu'il me soit donc permis de conclure par le verset de bénédiction :

> « Puisse ce traité, ANANGA-RANGA, être cher aux hommes et aux femmes, aussi longtemps que le Saint Fleuve Gange découlera du sein de Siva avec sa femme Gauri à son côté gauche; aussi longtemps que Lakchmi aimera Vichnou; aussi longtemps que Brahma sera engagé dans l'étude des Védas, et aussi longtemps que dureront la terre, la lune et le soleil ! »

FIN

APPENDICES

APPENDICE I[1]

De l'Astrologie dans ses rapports avec le Mariage

Nous allons consigner ici les effets qui résultent de la consonance et dissonance, amitié et hostilité, entre les étoiles (et destinées) d'un couple proposé pour le mariage[2].

Après s'être assuré que les maisons *(kula)*, les noms de famille *(gotra)* et les dispositions

1. Nous avons relégué en appendice les chapitres relatifs à l'astrologie et à la chimie. On les trouve (pages 120 et suiv.) dans l'édition Maratha de l'*Ananga-Ranga* (Bombay, 1842); mais il est plus que douteux qu'ils appartiennent à l'ouvrage original.

2. Comme on marie, dans l'Inde, de tout jeunes enfants, ce sont les parents qui doivent s'occuper de cet examen.

individuelles *(svabhava)* des postulants sont exempts de vices inhérents[1], on déterminera leurs *Gunas* (qualités ou conditions requises) d'après les signes zodiacaux et les astérismes présidant à leur naissance[2].

On compte trente-six *Gunas,* dont dix-neuf au moins sont exigés pour que le mariage soit heureux; au-dessus de ce minimum, leur influence bienfaisante est proportionnée à leur nombre.

Les trois Tableaux ci-après faciliteront l'intelligence de ces questions :

Le Tableau I montre la planète présidente, le genre (ou nature) et la caste (en théorie, non en pratique) du sujet, lorsque le signe zodiacal de sa naissance est connu. Par exemple, si le Soleil est dans le Bélier *(Aries)* lors de la naissance du sujet, sa planète est Mars; il appartient au genre quadrupède, et il est par sa caste un *Kshatriya* ou guerrier.

---

1. Le vice héréditaire des familles est une mauvaise renommée; le plus grand défaut des noms consiste dans la correspondance exacte de ceux de la fiancée et du fiancé. Quant aux dispositions individuelles, on les connaît trop pour qu'il soit besoin de les relater.

2. Les signes et astérismes sont consignés dans les horoscopes tirés, à la naissance de l'enfant, par des personnes compétentes.

TABLEAU I

SIGNES ZODIACAUX	Planètes présidentes	GENRE	CASTE
Bélier *(Aries)*	Mars	Quadrupède	*Kshatriya*
Taureau *(Taurus)*	Vénus	Quadrupède	*Vaishya*
Gémeaux *(Gemini)*	Mercure	Humain	*Shudra*
Écrevisse *(Cancer)*	Lune	Insecte	*Brahmane*
Lion *(Leo)*	Soleil	Quadrupède	*Kshatriya*
Vierge *(Virgo)*	Mercure	Humain	*Vaishya*
Balance *(Libra)*	Vénus	Humain	*Shudra*
Scorpion *(Scorpio)*	Mars	Insecte	*Brahmane*
Sagittaire *(Sagittarius)*	Jupiter	Homme-cheval	*Kshatriya*
Capricorne *(Capricornus)*	Saturne	Homme-d'eau	*Vaishya*
Verseau *(Aquarius)*	Saturne	Humain	*Shudra*
Poissons *(Pisces)*	Jupiter	Animal aquatique	*Brahmane*

TABLEAU II

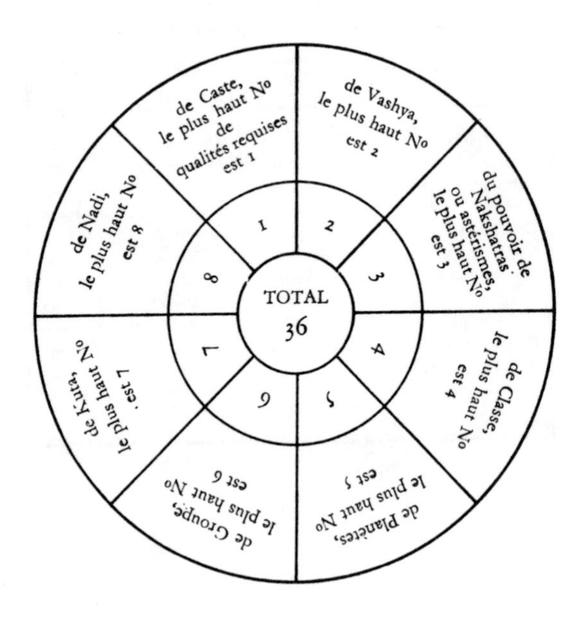

Le Tableau II indique le nombre de *Gunas* ou qualités requises pour la prospérité du mariage, distribués sous huit chefs.

Le Tableau III indique le groupe et la classe à laquelle appartient une personne, lorsqu'on connaît l'astérisme *(Nakshatra,* ou résidence lunaire) de sa naissance, ainsi que son *Nadi* (heure de vingt-quatre minutes). Les vingt-sept astérismes sont classés sous trois chefs : dieux, hommes et démons *(Rakshasas),* et l'astérisme détermine auquel de ces trois chefs se rapporte le sujet. En outre, chaque astérisme se divise en quatre quartiers, et neuf de ces quartiers forment un signe zodiacal.

(Voir ci-après le Tableau III.)

TABLEAU III

ASTÉRISME (*Nakshatra*)	GROUPE	CLASSE	*Nadi* — Heure de 24 min.	Quartiers d'Astérismes, montrant les variations dans les signes du Zodiaque			
				1	2	3	4
Ashvini	Dieu	Cheval	Premier	*Cha*, 1, *Aries*	*Che*, 1, id.	*Cho*, 1, id.	*La*, 1, id.
Bharani	Homme	Éléphant	Moyen	*Li*, 1, id.	*Lu*, 1, id.	*Le*, 1, id.	*Lo*, 1, id.
Krittika	Démon	Bélier	Dernier	*A*, 1, id.	*I*, 2, *Taurus*	*U*, 2, id.	*Ve*, 2, id.
Rohini	Homme	Serpent	Dernier	*O*, 2, id.	*Va*, 2, id.	*Vi*, 2, id.	*Vu*, 2, id.
Mriga	Dieu	Serpent	Moyen	*Ve*, 2, id.	*Vo*, 2, id.	*Ka*, 3, *Gemini*	*Ki*, 3, id.
Ardra	Homme	Chien	Premier	*Ku*, 3, id.	*Gha*, 3, id.	*Na*, 3, id.	*Chha*, 3, id.
Punarvasu	Dieu	Chat	Premier	*Ke*, 3, id.	*Ko*, 3, id.	*Ha*, 3, id.	*Hi*, 4, *Cancer*
Pushya	Dieu	Bélier	Moyen	*Hu*, 4, id.	*He*, 4, id.	*Ho*, 4, id.	*Da*, 4, id.
Ashlesha	Démon	Chat	Dernier	*Di*, 4, id.	*Du*, 4, id.	*De*, 4, id.	*Do*, 4, id.
Magha	Démon	Souris	Dernier	*Ma*, 5, *Leo*	*Mi*, 5, id.	*Mu*, 5, id.	*Me*, 5, id.
Purva	Homme	Souris	Moyen	*Mo*, 5, id.	*Ta*, 5, id.	*Ti*, 5, id.	*Tu*, 5, id.
Uttara	Homme	Vache	Premier	*Te*, 5, id.	*To*, 6, *Virgo*	*Pa*, 6, id.	*Pi*, 6, id.
Hasta	Dieu	Buffle	Premier	*Pu*, 6, id.	*Sha*, 6, id.	*Na*, 6, id.	*Dha*, 6, id.
Chitra	Démon	Tigre	Moyen	*Pe*, 6, id.	*Po*, 6, id.	*Ra*, 7, *Libra*	*Ri*, 7, id.

TABLEAU III (*Suite*)

ASTÉRISME (*Nakshatra*)	GROUPE	CLASSE	*Nadi* — Heure de 24 min.	Quartiers d'Astérismes, montrant les variations dans les signes du Zodiaque			
				1	2	3	4
Svati	Dieu	Buffle	Dernier	*Ru*, 7, id.	*Re*, 7, id.	*Ro*, 7, id.	*La*, 7, id.
Vishakha	Démon	Tigre	Dernier	*Zi*, 7, id.	*Zu*, 7, id.	*Ze*, 7, id.	*Zo*, 8, *Scorpio*
Anuradha	Dieu	Cerf	Moyen	*Na*, 8, id.	*Ni*, 8, id.	*Nu*, 8, id.	*Ne*, 8, id.
Jyeshtha	Démon	Cerf	Premier	*No*, 8, id.	*Ya*, 8, id.	*Yi*, 8, id.	*Yu*, 8, id.
Mula	Démon	Chien	Premier	*Ye*, 9, *Sagittarius*	*Yo*, 9, id.	*Bha*, 9, id.	*Bhi*, 9, id.
Purvashadha	Homme	Singe	Moyen	*Bhu*, 9, id.	*Dha*, 9, id.	*Pha*, 9, id.	*Dha*, 9, id.
Uttarashadha	Homme	Ichneumon	Dernier	*Bhe*, 9, id.	*Bho*, 10, *Capricornus*	*Ga*, 10, id.	*Gi*, 10, id.
Shravana	Dieu	Singe	Dernier	*Khi*, 10, id.	*Khu*, 10, id.	*Khe*, 10, id.	*Kho*, 10, id.
Dhanishtha	Démon	Lion	Moyen	*Ga*, 10, id.	*Gi*, 10, id.	*Gu*, 11, *Aquarius*	*Ge*, 11, id.
Shatataraka	Démon	Cheval	Premier	*Go*, 11, id.	*Sa*, 11, id.	*Si*, 11, id.	*Su*, 11, id.
Purvabhadrapada	Homme	Lion	Premier	*Se*, 11, id.	*So*, 11, id.	*Da*, 11, id.	*Di*, 12, *Pisces*
Uttarabhadrapada	Homme	Vache	Moyen	*Du*, 12, id.	*Zam*, 12, id.	*N*, 12, id.	*Yo*, 12, id.
Revati	Dieu	Éléphant	Dernier	*Do*, 12, id.	*Do*, 12, id.	*Cha*, 12, id.	*Chi*, 12, id.

Et maintenant, examinons de plus près ces Tableaux. Comme on le voit dans le nº II, les *Gunas* sont de différentes valeurs et distribués sous huit chefs.

1. *Caste*. Si les futurs époux sont de la même caste, ou si la caste du fiancé est plus élevée, il y a un *Guna* (sur les trente-six); autrement, il n'y en a point.

2. *Vashya,* ou tenue en sujétion, l'une des principales considérations du mariage. Si les signes zodiacaux de la fiancée et du fiancé sont du même genre (Tableau I), ceci représente deux *Gunas*. Si la personne tenue en sujétion est aussi la « nourriture » de l'autre, ceci compte seulement pour un demi-*Guna*. S'il y a naturelle amitié entre les *genres* de la fiancée et du fiancé, cela vaut deux *Gunas ;* et si l'un est l'ennemi de l'autre, et tient aussi l'autre en sujétion, cela représente seulement un *Guna*. On raisonne comme suit : Tout quadrupède, excepté le lion, est sous la sujétion du genre humain; par exemple, le quadrupède bélier est le sujet et la « nourriture » du genre humain, sans aucune exception que le Brahmane. Même cas est celui du poisson et du crabe parmi les animaux inférieurs. Le scorpion est l'ennemi général de la race humaine, et il y a encore d'autres animaux qui sont ses ennemis en même temps que sa nourriture. Nous découvrirons ainsi laquelle des deux personnes tiendra l'autre en sujétion.

3. Les *Nakshatras* (Tableau III) doivent être considérés comme suit : L'astérisme de la fiancée sera compté d'après celui du fiancé, et le nombre sera divisé par neuf. Si le reste est trois, cinq ou sept, c'est un signe de mauvaise fortune; et *vice versa* pour tous les autres. Pareillement, la lunaison du fiancé sera comptée d'après celle de la fiancée; et si, après avoir divisé par neuf comme ci-devant, les restes des deux parties indiquent une bonne fortune, cela compte pour trois *Gunas,* le maximum. Si l'une d'elles seulement a de bons présages, cela compte pour un *Guna* et demi : autrement, il n'y a point de *Guna.*

4. *Classe.* Parfaite amitié compte pour quatre *Gunas;* amitié ordinaire, pour trois; indifférence, pour deux; inimitié pour un, et inimitié excessive pour un demi-*Guna.* La parfaite amitié ne peut exister qu'entre des êtres humains de même caste. Les vaches et les buffles, les éléphants et les béliers vivent en amitié ordinaire. Les vaches et les tigres, les chevaux et les buffles, les lions et les éléphants, les béliers et les singes, les chiens et les cerfs, les chats et les souris, les serpents et les ichneumons, sont excessivement ennemis. L'inimitié ordinaire et l'indifférence ont de nombreux exemples dans la vie du commun des hommes et des bêtes.

5. *Planètes.* Si les planètes présidentes des deux individus sont les mêmes, et qu'il y ait parfaite amitié, cela compte pour cinq

Gunas, ou pour quatre s'il y a seulement amitié. S'il y a de l'amitié avec un ennemi de l'autre personne, cela réduit la valeur à un *Guna,* et si tous deux ont une amitié de ce genre, à un demi. Dans les cas de mutuelle indifférence, les *Gunas* s'élèvent à trois, et s'il existe de l'inimitié mutuelle, il n'y a point de *Guna.*

6. *Groupes* (Tableau III). Si tous les deux appartiennent au même groupe, cela vaut six *Gunas;* de même, si le fiancé appartient au groupe-dieu et la fiancée au groupe-homme. Au cas contraire, il n'y en a que cinq. Si le fiancé est du groupe-démon, et la fiancée du groupe-dieu, il y a seulement un *Guna,* et pas un seul dans tous les autres cas.

7. *Kuta,* c'est-à-dire l'accord des signes zodiacaux et des astérismes de la fiancée et du fiancé. Il est de deux sortes, favorable ou défavorable. Le *Kuta* est heureux si la fiancée et le fiancé sont nés sous le même signe, mais dans différents astérismes, ou dans les mêmes astérismes, mais sous différents signes, ou, enfin, dans les mêmes astérismes, mais dans différents quartiers. Une différence de sept astérismes est aussi de bon augure : par exemple, si l'astérisme du fiancé est *Ashvini* (Tableau III) et celui de la fiancée *Pushya.* Il en est de même avec trois, quatre, dix et onze astérismes, et avec un signe qui vient le second après un signe pair; exemple : l'Écrevisse *(Cancer),* étant le quatrième, est

un signe pair, et si le signe d'un des fiancés est l'Écrevisse et l'autre la Vierge, le *Kuta* est de bon augure. De même encore avec un signe qui vient le sixième après un signe pair, et le huitième ou le douzième après un signe impair. Mais un second signe, un cinquième, un sixième, un neuvième et un douzième après un signe impair sont de malheureux *Kutas*. Les *Gunas* du Lion et de la Vierge sont tous deux de bon augure. S'il y a un *Kuta* heureux, si le signe de la fiancée est éloigné de celui du fiancé, et s'il y a inimitié entre leurs classes, cette conjonction représentera six *Gunas*. S'il y a le même signe et différents astérismes, ou le même astérisme et différents signes, il est compté cinq *Gunas*. Dans un *Kuta* malheureux, s'il y a amitié entre les classes des postulants, et que l'astérisme de la fiancée soit éloigné de celui du fiancé, cela compte pour quatre *Gunas;* mais si l'une de ces conditions manque, il n'y en a plus qu'un. Dans tous les autres cas, il n'y a point de *Kuta*.

8. Le *Nadi,* ou moment. Si les *Nadis* de la fiancée et du fiancé sont différents, comme, par exemple, premier et dernier, premier et moyen, dernier et moyen, cette conjonction représente huit *Gunas*. Il n'y en a aucun lorsque le *Nadi* est le même.

APPENDICE II

Des remèdes métalliques

CE QUI SUIT est relatif au *Rasayana* ou préparation des métaux pour les besoins de la médecine.

Première recette

Pour la guérison des maladies causées par le vif-argent[1]. Prenez soixante-quatre *Tolas* (trois drachmes chacun) de jus de bétel

1. Les Hindous passent pour avoir les premiers employé à l'intérieur le mercure, qui, sous forme de sublimé corrosif, est ensuite venu en Europe. Ils n'ont pas dû tarder à découvrir les hideux effets de cet abus. Dans les contrées

(piper betel) ; mêlez avec quantités égales de suc de *Bhringaraja (eclipta prostrata),* de jus de *Tulsi (ocymum basilicum,* basilic) et de lait de chèvre; et frottez-vous tout le corps avec cette composition pendant deux jours, chaque jour deux *pahars* (= six heures), en faisant suivre d'un bain.

Deuxième recette

Pour réduire le mercure en *Bhasma* (cendres = oxyde métallique). Prenez du vif-argent purifié et du soufre en parties égales, que vous mêlerez avec de la sève de *Banyan (ficus indica)* ; mettez cette préparation dans un pot de terre sur un feu lent, et agitez avec une baguette de *Banyan* pendant tout un jour. Si l'on mange deux *Gunjas* de ce médicament, de grand matin, dans une feuille de bétel, on aura de meilleures digestions et un accroissement notable des facultés copulatives.

Troisième recette

Pour préparer le *Hemagarbha,* l'élixir de vie qui contient de l'or. Prenez trois parties de vif-argent purifié; une partie et demie de soufre; une partie d'or; deux parties de

---

où le mercure est inconnu, tels que l'Afrique Centrale, la syphilis n'attaque jamais les os du nez ou du visage. Le remède indiqué dans le texte ne peut faire ni bien ni mal.

cendres (oxyde métallique) de cuivre, et de la chaux de perles et de corail, de chacune un dixième de partie. Pilez dans un mortier pendant sept jours avec du suc de *Kumari (aloe perfoliata)*; faites-en une boulette, couvrez bien avec un morceau d'étoffe de coton et mettez dans un vaisseau de terre contenant un peu de soufre; la bouche du vase doit être bien close, n'ayant, pour laisser passer la fumée, qu'un tout petit trou, qu'on maintiendra ouvert au moyen d'une aiguille, s'il est nécessaire. Mettez le vase sur un *Valuka-yantra* (bain-marie), chauffé par un feu doux. Après environ un demi-*Ghataka* (= 12 minutes), il faut diminuer le feu et le laisser s'éteindre. Retirez la boulette et employez-la suivant l'instruction du docteur.

Quatrième recette

Pour réduire le *Harital (Sansk, hartalaka* = sulfure d'arsenic, orpiment jaune) en cendres, ou oxyde métallique. Pilez de l'orpiment jaune et pétrissez-le dans le suc de la plante *Nagar-juni*. Pilez de nouveau dans le suc du *Pinpalli (piper longum)* et du poivre de bétel, pendant deux jours. Faites des boulettes de cette préparation; séchez-les à l'ombre, puis mettez-les au bain-marie dans un vaisseau de terre. Il faut entretenir un bon feu jusqu'à ce que l'orpiment soit parfaitement « cuit »; on laisse ensuite le feu diminuer et s'éteindre.

Enfin, on retire les boulettes du vase et l'on s'en sert dans une maladie quelconque.

Cinquième recette

Pour faire absorber tous autres métaux par du mercure purifié. Mélangez du vif-argent avec le suc des « six poisons mineurs », savoir : *Arka (Callotropis gigantea), Sehunda (Euphorbia), Dhatura (Stramonium,* pomme épineuse blanche), *Langali (Jussiæa repens), Karavira* (oléandre ou *Soma)* [1] et opium. Par ce moyen, Mercure perd ses ailes et ne peut fuir, et il prend une bouche qui avale rapidement tout métal.

Sixième recette

Remède souverain contre toutes les maladies et la mort. Prenez de l'*Abhraca* (talc) et pilez dans la sève laiteuse de l'*Arka* pendant une journée. Enveloppez ensuite la préparation dans des feuilles d'*Arka* et faites bouillir dans un tas de *Gobar* (bouse de vache) d'environ deux pieds d'épaisseur. Répétez sept fois cette ébullition avec des feuilles fraîches; faites infuser trois fois la préparation dans

---

1. Interprétation des dictionnaires, qui citent différentes plantes : *Nerium odorum,* dont la racine est vénéneuse, et l'inoffensif *Soma* sacré *(Sercostamma)*. Mais *Kara-vira* est un mot qui a plusieurs sens.

une décoction de *Parambi Marathi* (racines fibreuses du *Banyan)*. De cette manière, le minéral est « tué »; ses impuretés sont élaguées, et il devient du talc *nishchandra*. Faites bouillir parties égales de ce produit et de *Ghi* (beurre clarifié) dans un vase de fer, jusqu'à ce que le beurre soit absorbé et que le médicament soit prêt à employer : il guérit toute infirmité, y compris la vieillesse et la mort.

TABLE DES MATIÈRES

Au Royaume du plaisir légitime . . . IX
Avant-propos du traducteur XXI
Préface de l'édition anglaise XXIII
Ananga-Ranga. Introduction 3

CHAPITRE PREMIER

Des quatre ordres de femmes. 9

CHAPITRE II

Des différents sièges de la passion chez les femmes. 19

CHAPITRE III

Des différentes sortes d'hommes et de femmes 27

CHAPITRE IV

Description des qualités générales, caractéristiques, tempéraments, etc., des femmes 39

CHAPITRE V

Caractéristiques des femmes des différents pays 51

CHAPITRE VI

Des médecines utiles 57

CHAPITRE VII

Du Vashikarana 99

CHAPITRE VIII

Des différents signes chez les hommes et les femmes 111

CHAPITRE IX

Des jouissances externes 137

CHAPITRE X

Des jouissances internes 159

Appendice premier. De l'Astrologie dans ses rapports avec le mariage . . 179

Appendice II. Des remèdes métalliques. 191

ACHEVÉ D'IMPRIMER
EN JANVIER 1982
SUR LES PRESSES DE
PAYETTE & SIMMS INC.
À SAINT-LAMBERT, P.Q.